KB164107

寄生獸 7

HITOSHI IWAAKI

애장판

寄生獸

기생수

7

contents 애장판

제50화 흉기

뭐… 뭐야?
이 사람!

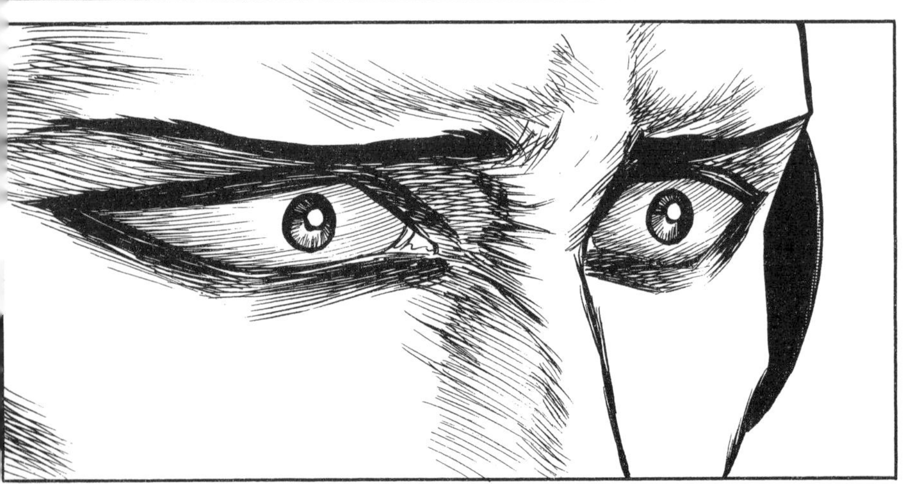

설마 기생생물…?
아냐! 달라!

인간이
그것만
알 것 같
하지만….

오른쪽이는…

자고 있군….

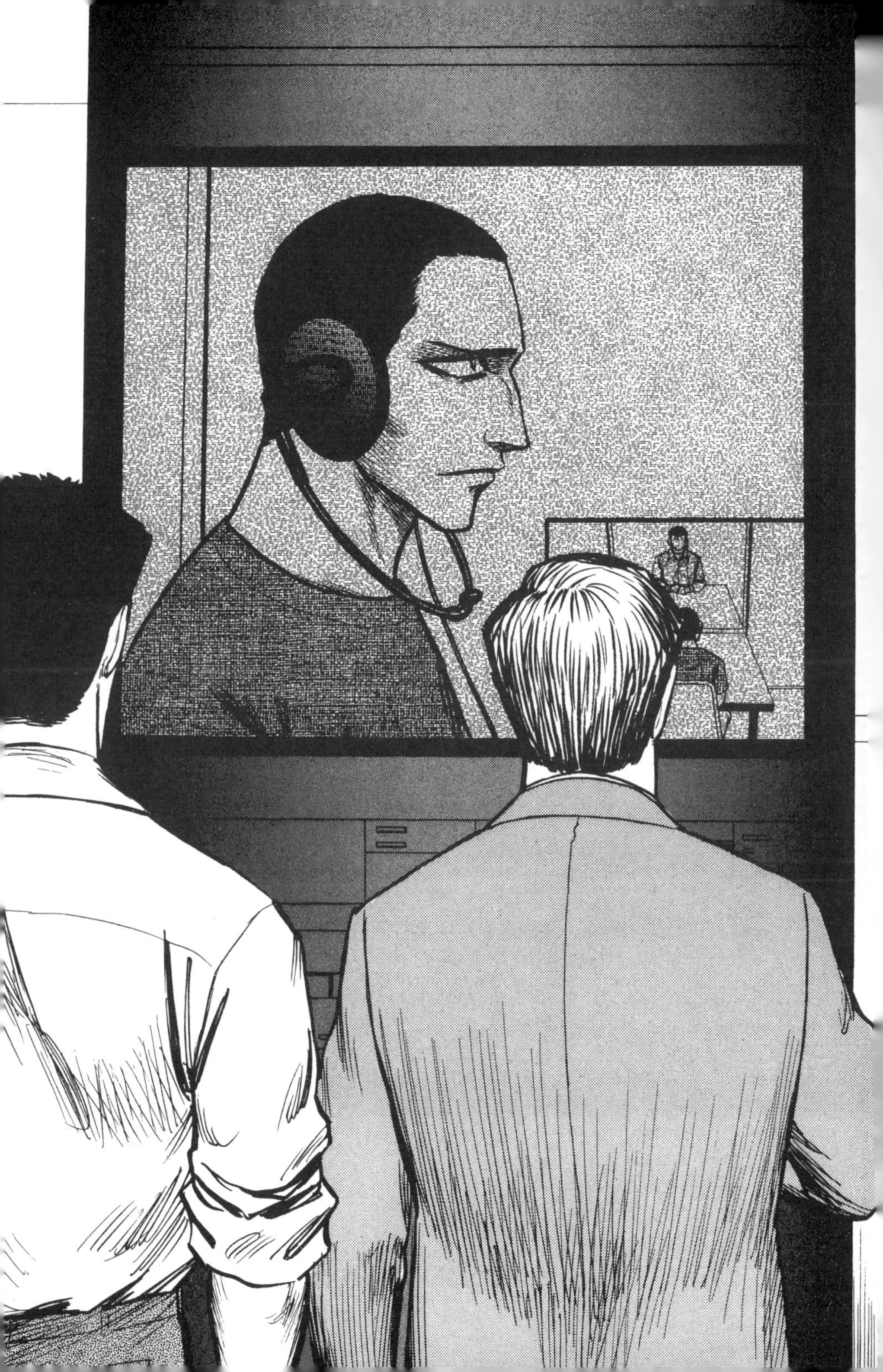

이쪽이
본성이야.

왜 저러죠,
저놈이…?!
좀전하고는
딴판이네.

부들

…….

인간일까…

인간일까…?!

난…

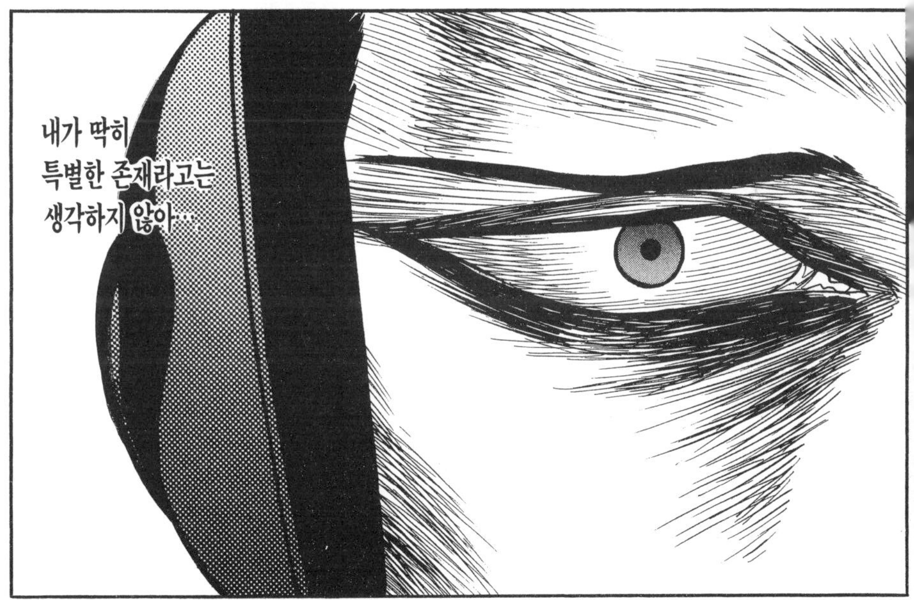
내가 딱히
특별한 존재라고는
생각하지 않아…

초능력 같은 건
아냐.

괴물과 인간을
구분할 수
있는 이유?
음.
그건…

인간을
갖고…
많이 놀아본
덕분이지.
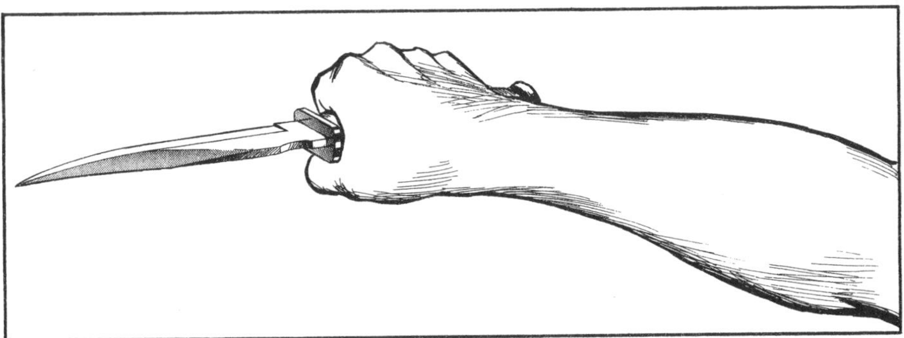

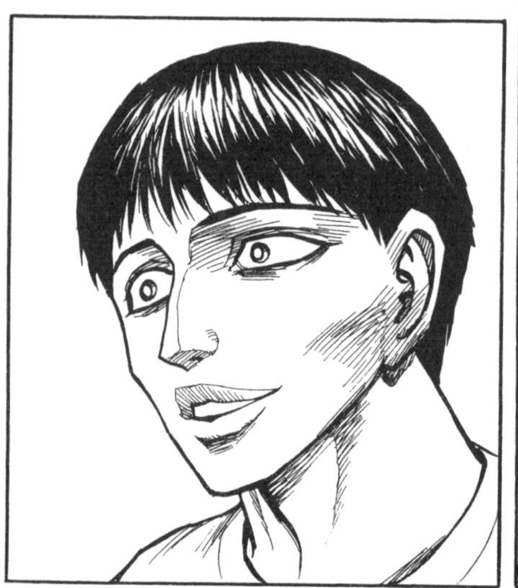

그러니까…
이 생물(인간)의
품질에 대해
누구보다 잘 알거든.

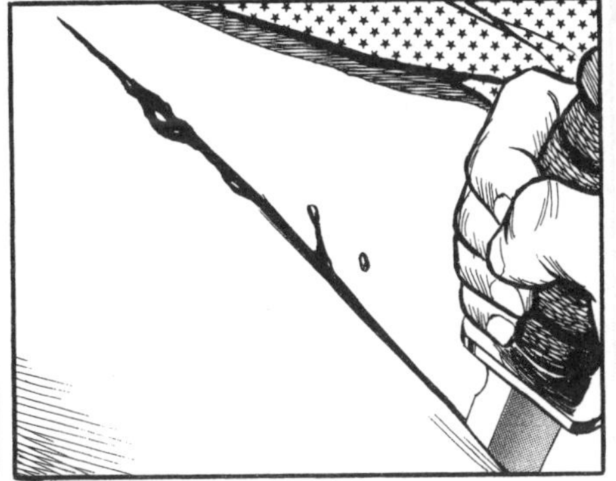

되게 부수기 쉬워,
이 장난감은….

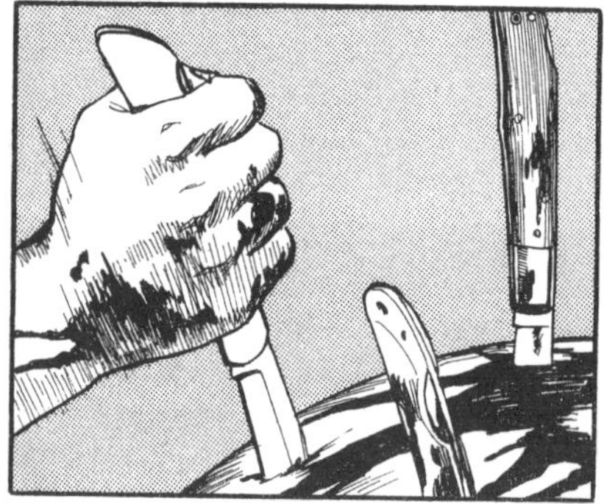

많이도
갖고 놀았지….
후후후후후.

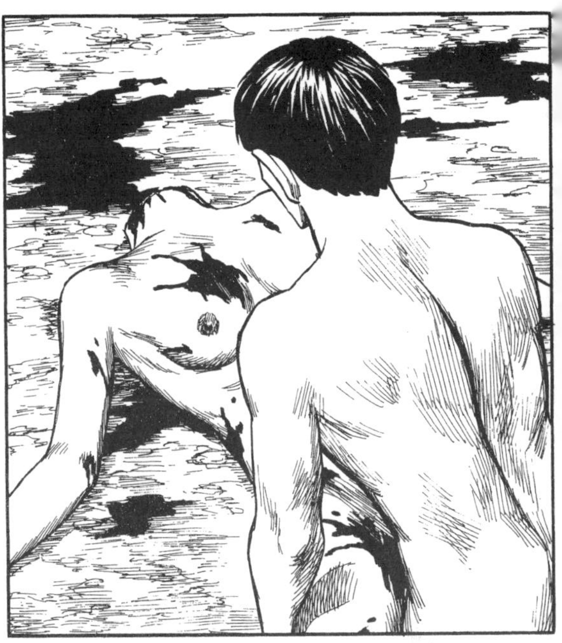

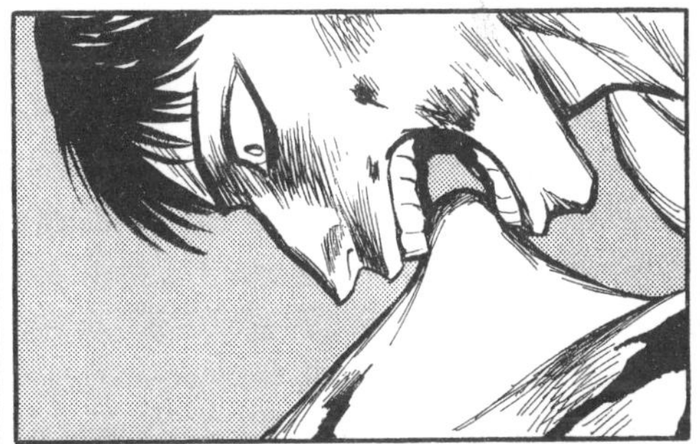

자기와 같은 「종」인지
아닌지를
판별하는 것쯤은….
하지만 다른 동물들은
대부분 갖고 있는
능력 아닌가?

인파 속에서
웬 엉뚱한 생물이
사람처럼 입고
돌아다니는
거야.

처음으로
그것을
발견했을 땐
물론 놀랐지.

사람들을
유심히 보고 있노라면
운 좋을 땐
한 시간에
두 마리도 보지.

너무 튀게 행동하면 위험하다 싶긴 했지만
나 역시 길을 가다가
가끔 그놈들이 보이면 그냥 흥미가 동해서….
주위 사람들이 전혀 눈치 못채는 것도 이상했지만,
그 생물 역시 태연하게 아무렇지도 않은 거야.
대체 뭘까?

…너무
다가가진 않았어.
위험하다는
생각이 들어서.
이건
내 야성의
직감일까?
키히힉.

미지의 생물이
어떤 짓을 할까…
약간은
기대했는데,

아무것도 아니잖아.
내가 한 짓이랑
별 차이도 없구만.

이런! 온통 어질러 놨군….
장난감을 갖고 놀았으면 깨끗이 치워야지….

으, 우웩!
이, 이놈-!!

꼼짝 마!!
헉!

아, 아냐!
내가
안 그랬어!!

이건 아냐!
난 이렇게….

「이건」?!
「난」이라니?!

으익….

네 얼굴을
본 적이 있어!
파출소 벽에도
붙어 있고!
농담 마쇼-!

어이!!
큰 걸 잡았어!
우엑~
우에엑.

…오래
걸리네요.

히라마 씨.
더
이상은….

…….

취조 때는
무슨 말을 들어도
눈하나 까딱 않던
이즈미
신이치가…
겁을 먹고
있다니….

우라카미….

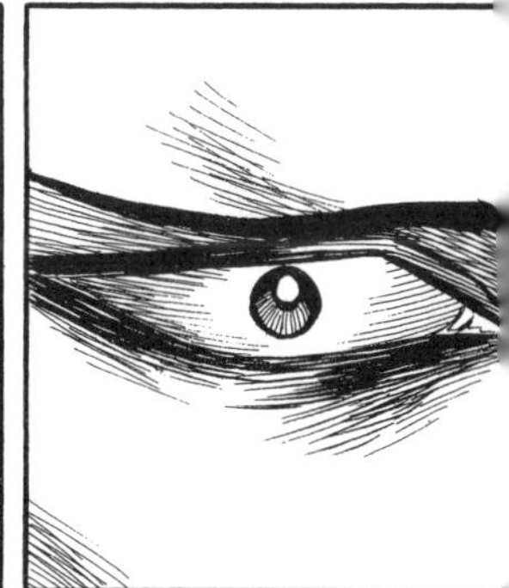

…아냐.

뭐야?
무슨 소린가?
우라카미!

뭐… 소질은
있을지 몰라도
상당한 훈련이
필요하겠습다.
흠….

내가 마음에 걸리는 건 다른 거야…. 어쩐지 다른 게 섞여 있는 것 같아서….
섞여 있다니 무슨 소리지?

결국 착각이었나 본데, 순간 저놈의 눈 속에서 간이 아닌 뭔가를 것 같았거든요.

뭐야?!

젠장… 귀에 대고 빽빽거리지 마쇼. 착각이라니까.
가만 보니 아무렇지도 않더구만.

후-.
어땠어요? 신이치 군….

별로…. 이 사람 눈이 하도 무서워서 모르겠어요.
…….
그래요… 수고했어요.

…그럼 며칠 간은
호텔에 묵으시겠군요.

댁으로
돌아갈 때는
연락 주십시오.
사람을
보낼
테니까요.

아뇨,
그렇게까진….

아니요.
그러겠
습니다.

저…
히라마 씨.

그 아기
말인데요.

「타무라 레이코」가
고 있던…
네가 받아 든
기 말인가?

아직 검사가
필요하다네.
아무래도
괴물이 기르던
아기니까.

만약에…
진짜 보통 아기로
판명된다면….

그러면…
적절한 시설에
맡겨서….

그렇게
신경 쓰이나?

아니,
저….

…….
자네가
「타무라 레이코」의
친척이라도 된다면
맡기겠네만….

네?

아…
하하….
신이치?

농담이네.

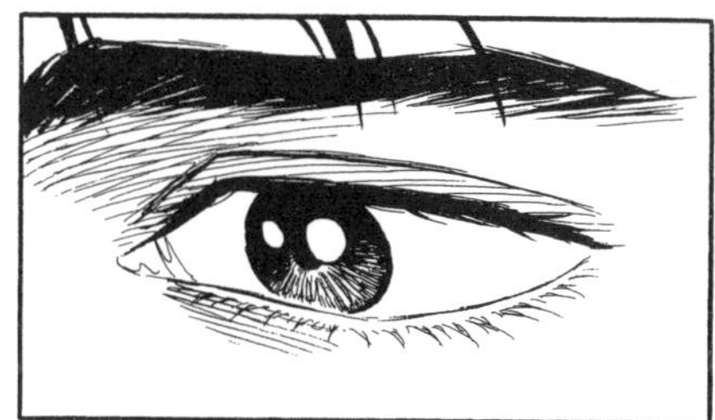

「눈 속」이라….
나로서는
알 턱이 없지….

자아…
오늘은
뭘 먹을까?
HOTEL GRE

그 연구소의
A정식이란 놈 때문에
영 입맛을 버려서
말이야.
B정식은
어떻던?

응…
그럭저럭….

허어~.

목욕할래,
신이치?
먼저 하세요.
그러마.

쥐아악

후-.

누구였을까…. 생각만 해도 소름이 끼쳐. 지금까지 사람 잡아먹는 괴물을 그렇게 많이 봐 왔지만….
신이치.

오른쪽아.

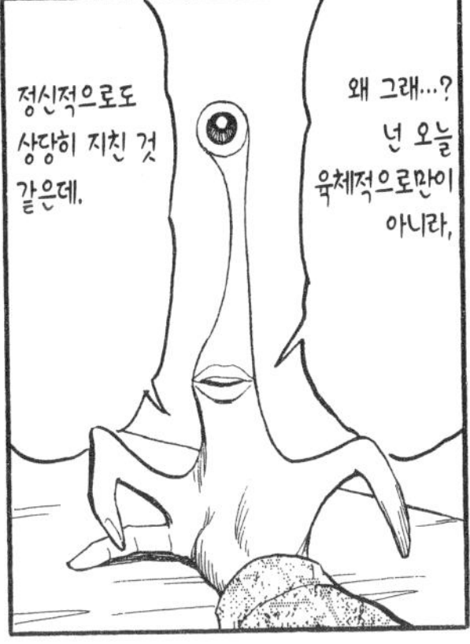
왜 그래…? 넌 오늘 육체적으로만이 아니라,
정신적으로도 상당히 지친 것 같은데.

맞아…. 네가 자는 사이에 엄청 무서운 사람을 만났거든.

인간?
그래…. 하지만 그건 아마도…

살인자야.

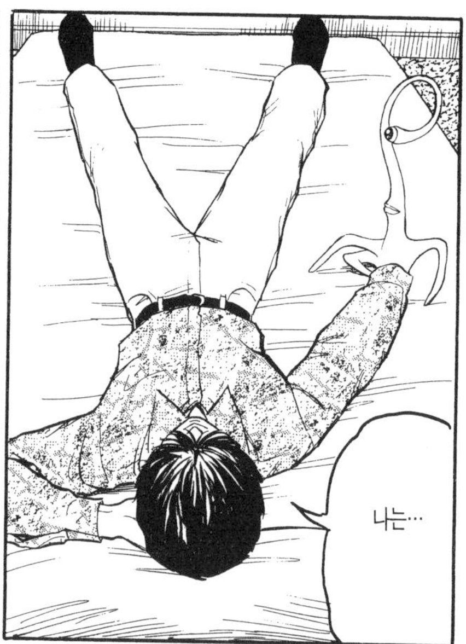
나는…

난 이제…
뭐가 뭔지
모르겠어….

그런 정체 모를
무서운 인간이
있는 반면…
사람을 잡아먹는
괴물인
타무라 레이코가…
나를…
구해 줬어.

내…
가슴의
구멍을….

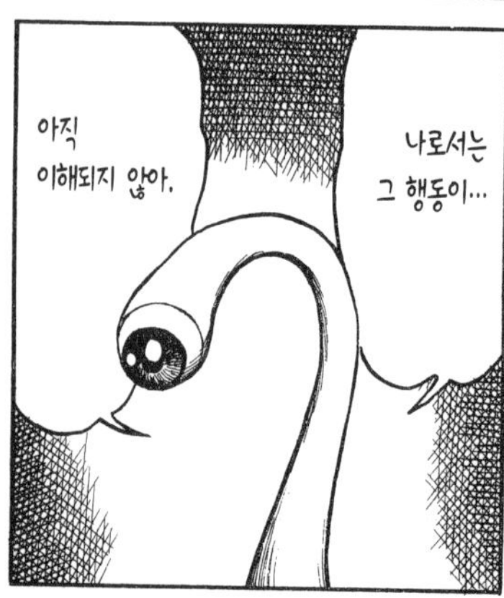
나로서는
그 행동이…
아직
이해되지 않아.

「우리는 하나…
기생생물과 인간은
한 가족이다….」
……

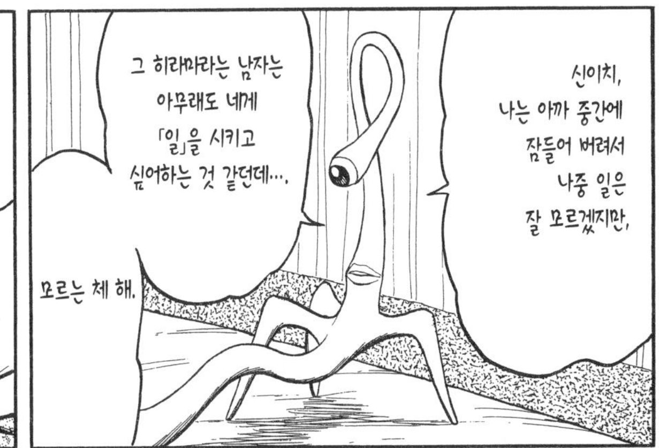
신이치,
나는 아까 중간에
잠들어 버려서
나중 일은
잘 모르겠지만,
그 히라마라는 남자는
아무래도 네게
「일」을 시키고
싶어하는 것 같던데….
모르는 체 해.

응…
나도 알아.

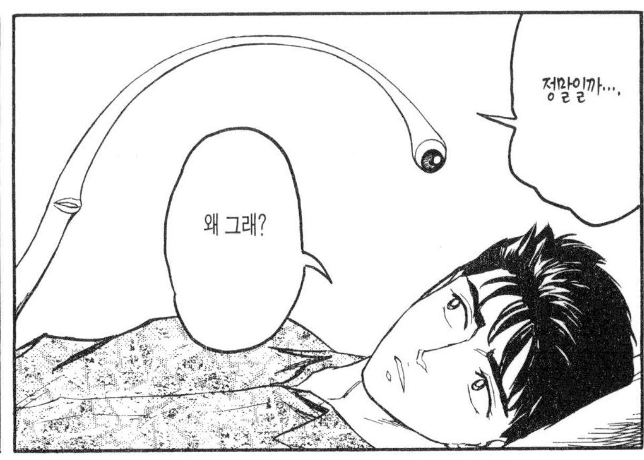
정말일까….
왜 그래?

하지만
너는….

쏴아아

아, 아버지가 나오신다.

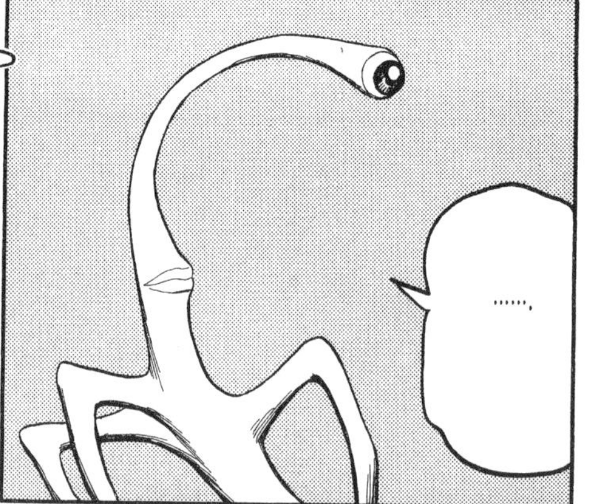
……,

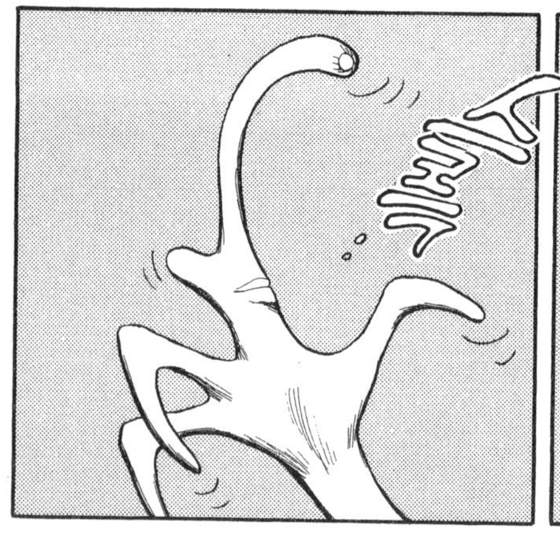
스르륵

HOTEL GR

뭔가?
야마키시 중령이 왔습니다.

…….
알았네.

높으신 분을 만나기 전에…
양측 지휘관과
저의 의사소통이
우선 필요할 것 같아서….

반갑습니다.
히라마 경위.

하지만
작전 당일까진
경위…
아니,
하나 건너뛰어
경감쯤은
되실 텐데요.
농담이시겠죠.

경장입니다.

미리 통보한 대로
「외측」을
히라마 씨….

「내측」,
즉 적의 식별 및
실전 지휘를
야마키시 중령에게
일임하기로
합니다만….

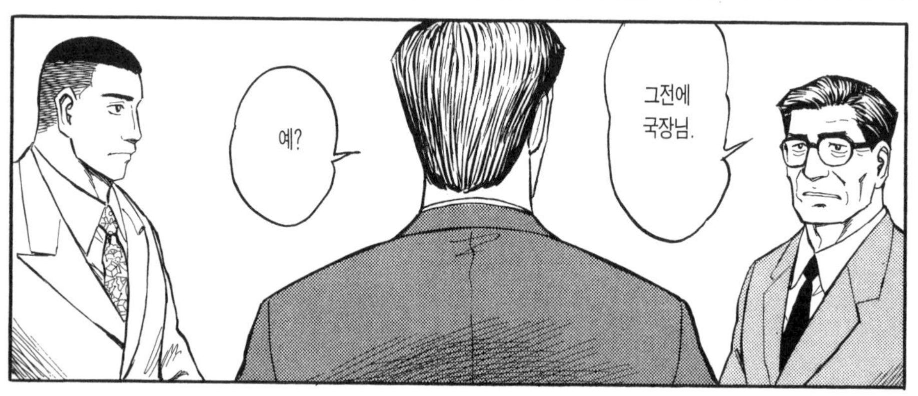
그전에
국장님.
예?

지난번에 말씀드린
우라카미라는 남자는
쓰기에 따라 큰 전력이
될 겁니다.
그 자를 외측에 배치하면
별 의미가 없으므로,
꼭 내측 작전 프로그램에
투입시켜 전체 계획을
짜야 한다고 봅니다.

마음은 감사합니다만 히라마 씨.
그… 초능력자라는 사람…. 듣자니 살인마라던데….
곤란합니다. 부대가 움직일 경우, 그런 이질적인 존재가 끼어 있으면 중요한 순간에 걸림돌이 될 수 있으니까요.

아니… 대원으로서가 아니라 하나의 「눈」으로 써 주신다면….

음- 「눈」이라….
하지만 덕분에 「이동 스캐너」도 두 대나 완성했으니 걱정 않으셔도 됩니다.

하지만 상대는 개에 쫓기는 양처럼 움직이지 않습니다.

아무래도 그… 「경찰 같은 발상」을 바꾸실 순 없을까요? …놈들을 너무 「인간적」으로 생각하시는 것 같습니다만.

우리가 이제부터 하려는 것은 「범인 색출」이 아니라 「해충구제」니까요.

…….

그렇군요…. 두 분을 미리 부르길 잘했습니다.
서로의 역할을 잘 안다고는 해도 작전 당일에 「고리」가 깨지면 곤란하니까요.

무엇보다 동 후쿠야마 시청은 시 한가운데에 있으니까.

제50화 —끝—

——제51화—— 침 로

東福山市役所

東福山市

福祉課

…….

나카이 양,
3시부터
회의가 있었지?
그걸 좀
뒤로
미뤄줘요.
딸칵

네.
잠깐만
기다리세요.

삐삐
삐삐

그런데 시장님,
어딜 가시죠?

…….

청사 안
있긴
하겠지만…
크게 중요한
일이 아니면
부르지 말아요.
네….
書課

…….
비서(인간)

비서(?)

딸칵

…살아 있다고
생각하나?

타무라
레이코가….

아무 연락도 없이
사육중인
아이와 함께
사라졌다는 것이
이해되지 않아.

시내 공사장에서
발견된 3인분의
토막시체들 중
하나가
여자였다던데?

가능성은
낮아.

역시
「쿠사노」
였나?

그 중 하나의
시체가….
하지만…

하지만 그 시체를
또 저쪽에
뺏겨 버린 것이
문제야.

…….

이른바
패러사이트
대책반이.
이제는
그런 전문부대가
있는 모양이야.

한자리에서 셋을
산산조각내는 것은
인간의 힘으론
불가능합니다.
시체가 있으면
범인을 파악할 수도
있을 텐데….

설마 타무라 레이코가?
고토.

그리고… 내가 놓친 그 소년과 오른쪽이에게 그만한 힘이 있다고도 보이지 않습니다.

어떻든 상당히 불리한 입장에 처한 것만은 확실합니다.
모르겠습니다….
하지만 그리 멀지 않은 곳에 우리를 적대시하는 큰 세력이 자라고 있다는 것은 틀림없을 겁니다….

후… 그게 간단치가 않아서.

차라리 식당을 바꾸는 게 어떨까요?

확실히 타무라는 독특한 사고방식을 갖고 있었지만… 그렇다고 우리를 적으로 돌렸다고 생각하기는 어려워.

그녀가 만약… 적의 손에 죽었다면 이건….

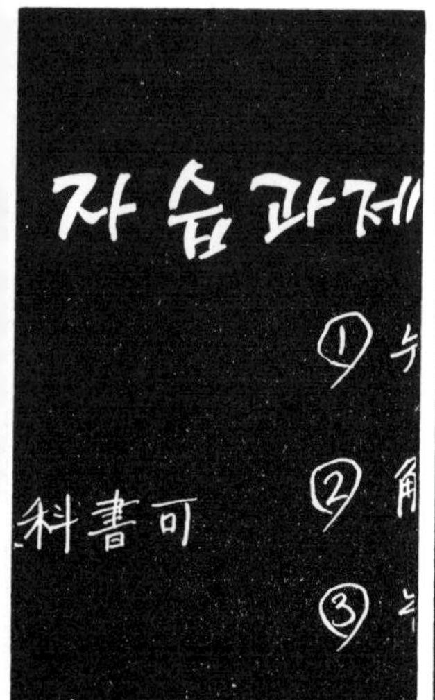
자습과제
①
②
③
科書可

…….

…….

신이치…
신이치?

모르겠니?
하긴 오랫동안
학교를 쉬었으니.

나름대로 집에서
공부 좀 했니?
…….

응….

여유만만이네,
이 시기에.

다 했으면
제출해.

하나도
모르겠어!!
노트 빌려줘?
응….

와아.
복사 다 하면
돌려줘.

천 엔만
내셔.

얘, 마사미.
좀 너무했다.
왜?
뭐 어때.

어차피
신이치는
여자 친구도
있는데, 뭐.
하아….

타
앙

헉헉 헉헉.

17초 5?
어이….

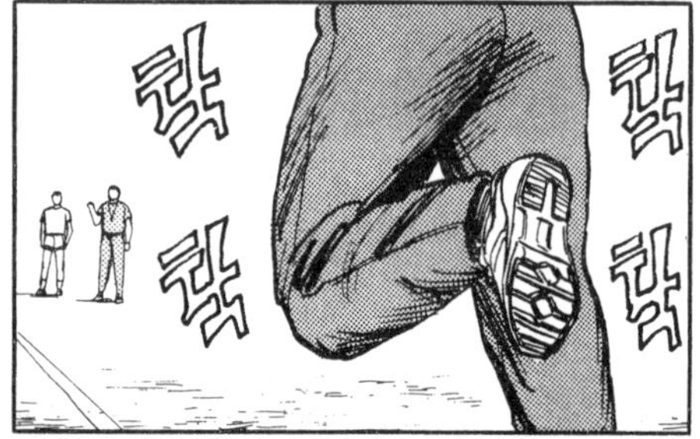
탁
탁
탁
탁

이봐,
들리나?!
이건 고등학교
마지막
기록이야!

100미터를 뛰는
인생 마지막
기회일지도
모른다구-!
평생 후회하지 말고
힘껏 뛰어-!

놀구
있네.
맨날 마지막
기회래?

잠깐!
잠깐, 잠깐!

신이치,
너!
너한텐 꼭 한마디
해 두고 싶었는데!

목소리 한 번
크네.
그래가지고는
평생 큰일 한 번
못한다구-!!
너는 항상
성의가 없어!!
뭘 해도 성적이
늘 고만고만
이라니까!!

-헤헤.

남자라면 한 번쯤
죽을 힘을 다해
봐야지!!

그렇게는
안 돼.

나 참,
시끄럽게-.
알았지?
힘껏 달려!!

고교 최후의…?

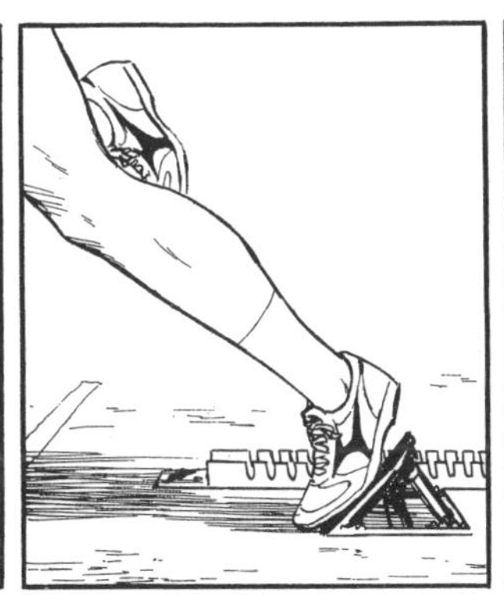

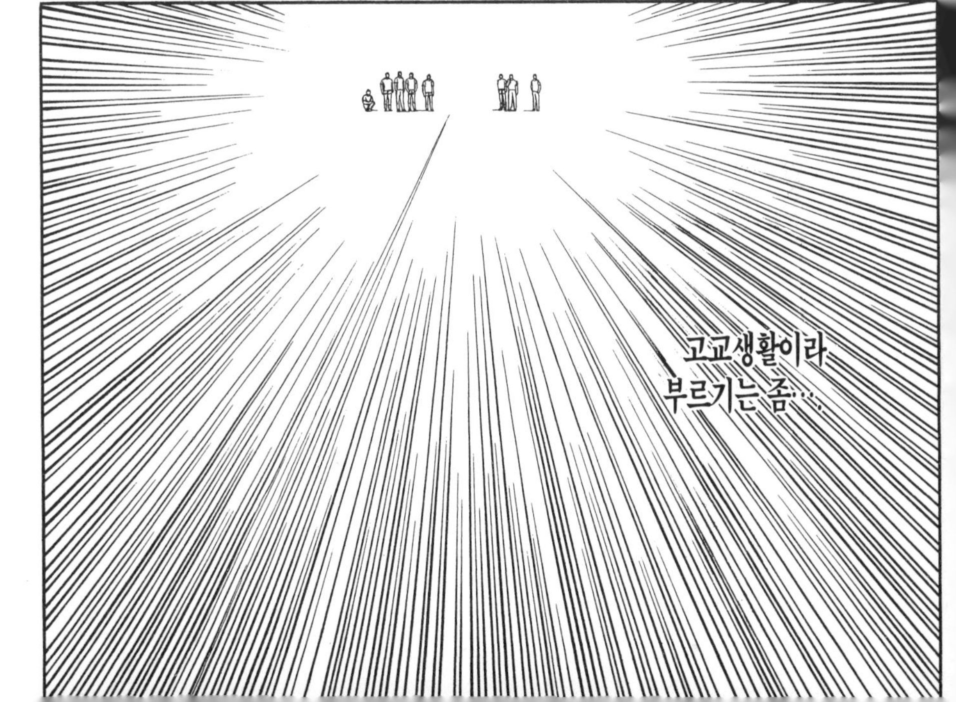
고교생활이라
부르기는 좀…

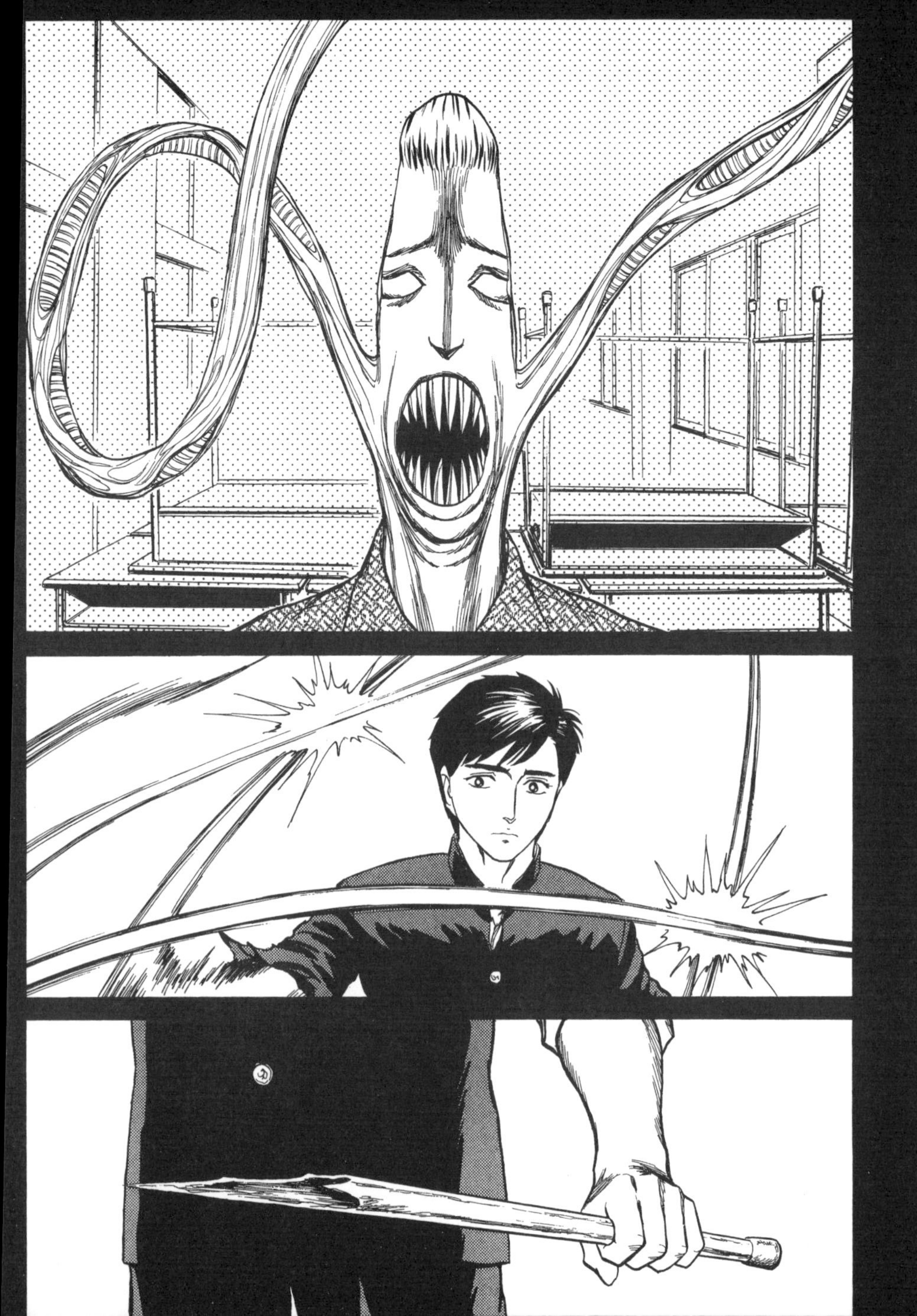

ENTR

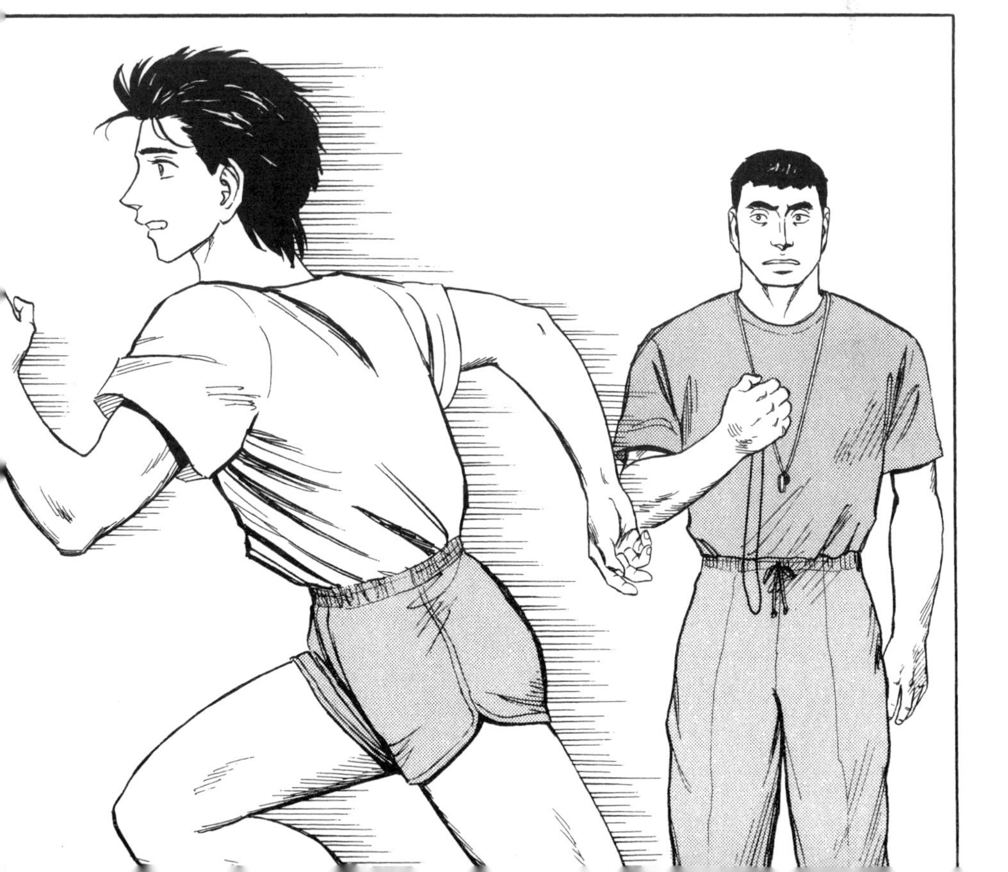

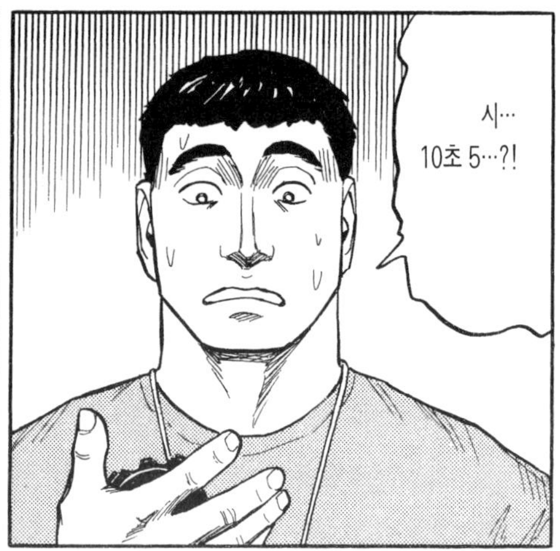
시…
10초 5…?!

후-.

이야아——아

신이치! 신이치, 너! 왜 이제야!
이런 다리를 갖고 있으면서!

이만하면 9초대도 가볍게 끊겠는걸?

암튼 대단하다!
신이치, 너.

뭐가?

모르는 체 마,
임마.
교내
신기록이라구.
육상부도
아니
면서

아…
그러니?

「아…
그러니?」
푸하하하

전부터 맘에
걸렸는데
말이야….

넌 왜 항상 구석에서
살금살금 갈아입냐?
아…?

몸이 너무
빈약해서…
아니,
저…

아하,
몸에 무슨
비밀이라도?
그러고 보니,
수영시간엔
한 번도
안 나왔지?

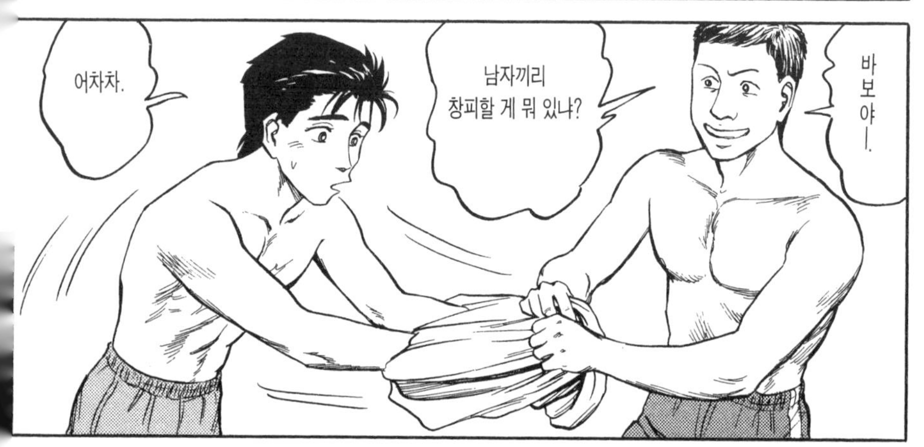
어차차.
남자끼리
창피할 게 뭐 있냐?
바보야~.

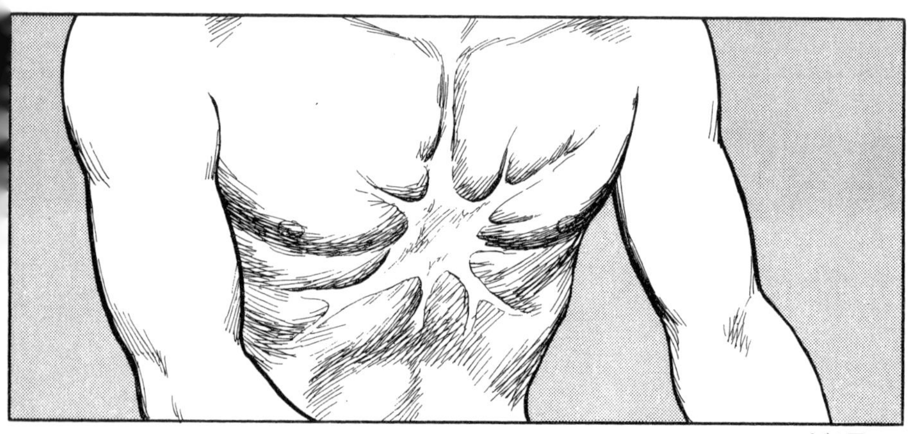

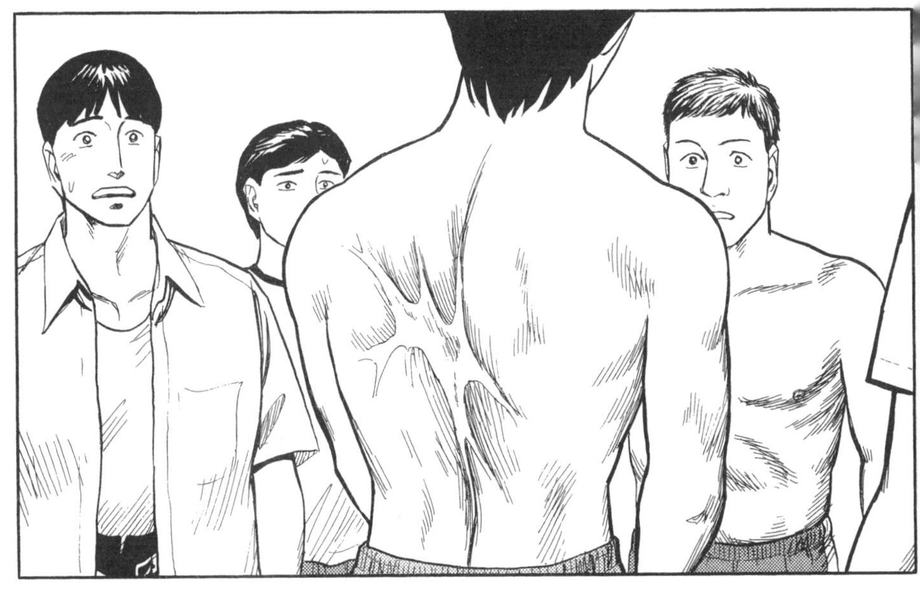

미, 미안해….
아니….

저기….
아… 저어.

따악
멍청아.

후아…

아쵸.

이제 반년
남았네….
응….

괜찮아?

뭐가?

결석일수가
꽤 많았잖아.
아아,
괜찮아.

졸업은…
할 수 있어.
졸업은!

후후,
꽤 즐거운
고교생활
이었지?

…….

여러 가지
일이…
있었지….

하지만…
즐거운 일도
꽤 있었어.

응….

공부해야지—.
맞아,
신이치.

진짜로
대학입시
볼 거니?
무슨 뜻이셔?

나 있지-
대학에 가면···

응?

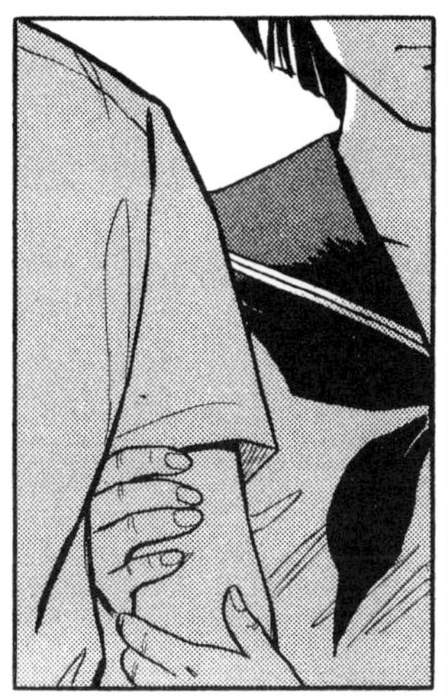

가자.

우리가
이긴다!!

!

99%
문제없어!
그러나
딱 한 가지가
모자란
듯한 것만은
어쩔 수 없군.

그게 뭔지는
모르지만…
딱 하나가.

자네의 조
필요

…….

왜
신이치만·

신이치만이 아녜요. 이 학교의 모두가 억지로 잊으려 하고 있는데….

원래는 평범
길이었는데…
그냥 통학로일 뿐이었는데…, 그냥….

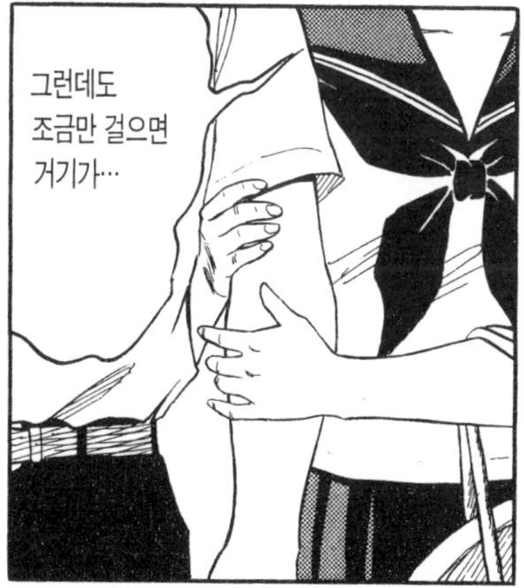
그런데도 조금만 걸으면 거기가…

제51화 —끝—

제52화 포 위

그날이
왔다….

부웅

끼
기
타닥

끼이
……

아, 그래요?
죄송합니다만 여기는 현장학습 나오는 초등학생들의 버스가 주차할 예정이라서요. 저쪽에 차를 대 주시겠습니까?

여기는 우리가 써야 하거든….

본관 현관과 서문 사이에 있으며 공간도 넓고, 무엇보다 동남쪽 귀퉁이는 본관 및 의사당에서도 극히 파악하기 힘든 위치에 있다.

「사냥터」는 이곳 제2 주차장이 가장 적합하다.

그렇다고 거기에
아예 장갑차를
배치할 수는
없잖겠습니까?

……
버스를 쓴다.

버스…!

그것도
초등학교 소풍에나
쓰일 대형버스로….
창문에는 커튼이
달린 것이 좋다.

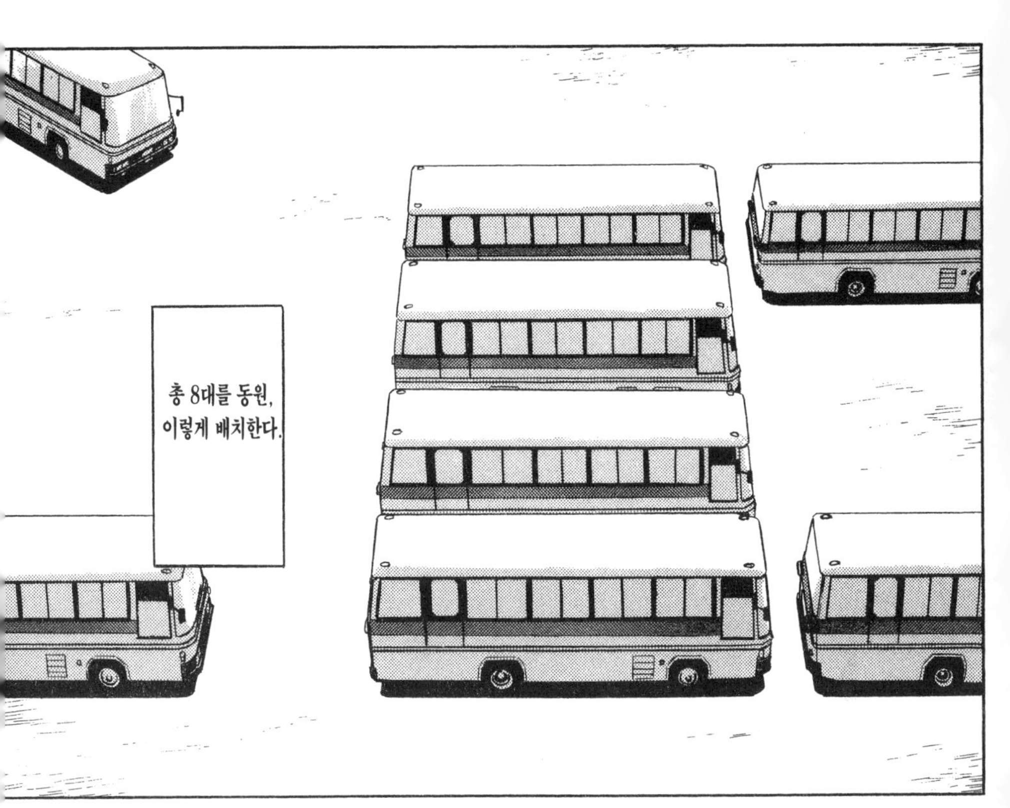
총 8대를 동원,
이렇게 배치한다.

바앙—

버스의 배치가
끝난 시점에서
「외벽」 즉,
경찰대가 시청포위를
개시한다!

주위는 거의
화단으로 되어 있으며
높은 담이 없기 때문에
청사 안에서
훤히 내려다 보인다.

따라서 모든 동작은
신속히 행해져야 함은 물론,
수송차를 중심으로 많은 차량을
효과적으로 배치한 후
인원과 함께 「울타리」를 만든다.
절대 깨져서는
안 될 외벽이다!

어?!
뭐지?!

쿠데타라도
났나?!
데모 진압대
같은데요….

……

설마….

……

……

그러나
방법이 없다!
청사 안에는
인간이 훨씬
많으니까!

순경들이 제법
진을 잘 쳐 놨군.
착
착
착

…그러면
온 청사의 눈이
창밖으로
쏠려 있을 때…

로저.

관내방송
개시!

콰
쾅

구석으로 가십시오!
해치지 않습니다!

우앗!
아….

거기서 함께
들어 주십시오.

어…
예에…?

긴급사태! 긴급사태! 청사 내의 모든 분들께 알립니다!
이것은 실제상황입니다! 잘 들으십시오!

저는 동후쿠야마 경찰 형사과의 미즈시마입니다.

훈련 상황이 아닙니다! 잘 들으십시오!

싹

하지만 왜 이쪽에 총구를…?
후…
뭐… 뭐야.

경찰을 사칭한다.
…일본에서 군인이
마이크를 잡았다간
혼란만 가중될 테니까.

「유도대」 작전개시!
본관 및 의사당의
모든 출구를 봉쇄하고
3단계로 나눠 홀에 집결!

척 척 척 척

조금전에 총을 든 남자가 청사 내에 침입했습니다.
범인은 보통체격으로 노란 T셔츠에 청바지차림, 배에 상처를 입어 피를 흘리고 있습니다.

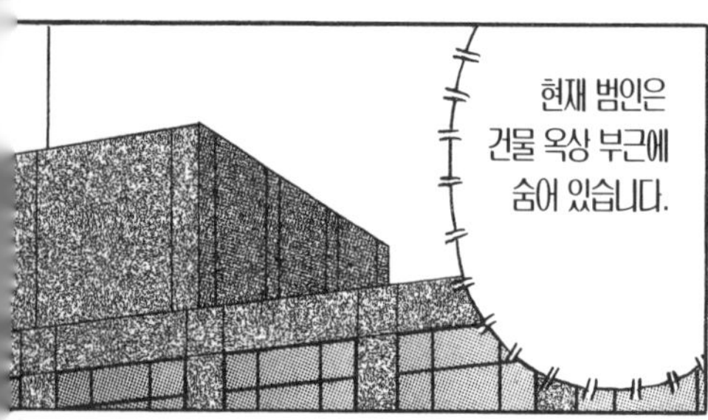
현재 범인은 건물 옥상 부근에 숨어 있습니다.

건물 밖으로 나오면 위험합니다!
지금 밖으로 나오면 대단히 위험합니다!

하지만…
그런 것치고는
많이도 몰려왔네.

그…
그랬구나….

청사 내에
계신 분들은
모두 본관 1층 홀에
모여 주십시오.

청사 내에
계신 분들은
모두 본관 1층 홀에
모여 주십시오.

척 척 척 촤
1층 홀에 있는
경찰대의 지시에 따라
주십시오.

시, 시장님!
큰일났습니다!

시장님!
시장님!!

…자자,
침착들 하세요.
우선 방송의
지시에 따릅시다.

아무리 봐도
보통 일은
아닌 모양이니까요.

청사 내의
모든 분들은
1층 홀와—.
위이잉
경찰대의 지시에
따르십시오.

해볼
셈이군,
인간들!

이곳 관할서의
경관은
하나도 없잖아.
이게
경찰이라고?
흥!

하지만
아무것도 모르는
보통 인간들도
이렇게 많은데…
하나하나
신체검사라도 했다간
첫번째 기생생물이
발견되는 시점에서
패닉이 일어난다.

설마 이 많은
인간들과 함께
몰살시킬 생각은
아니겠지.
아,
시장님
이다.

현관 앞.

아―.
좀더 뒤로…
좋아요,
스톱!

나머지
미세조정 과정은
자동입니다.

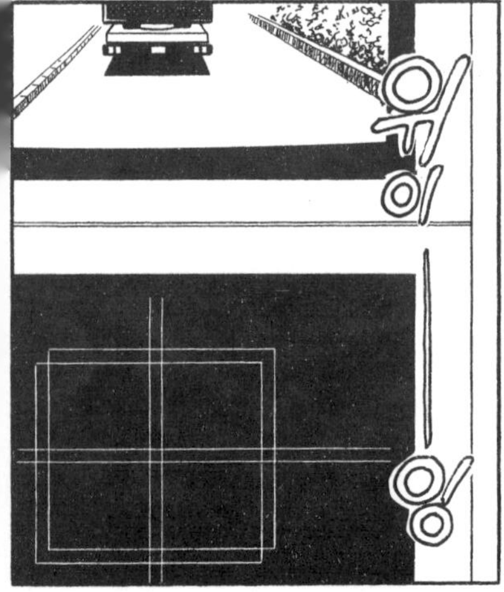
윙이――잉

스캐너 준비
완료
했습니다!

됐어요!

삐

현관 바로 앞의
정문 및 북문을 막았으니
출구는 현관에서
서문으로 가는 길뿐!
자… 이제부터
시작이다!

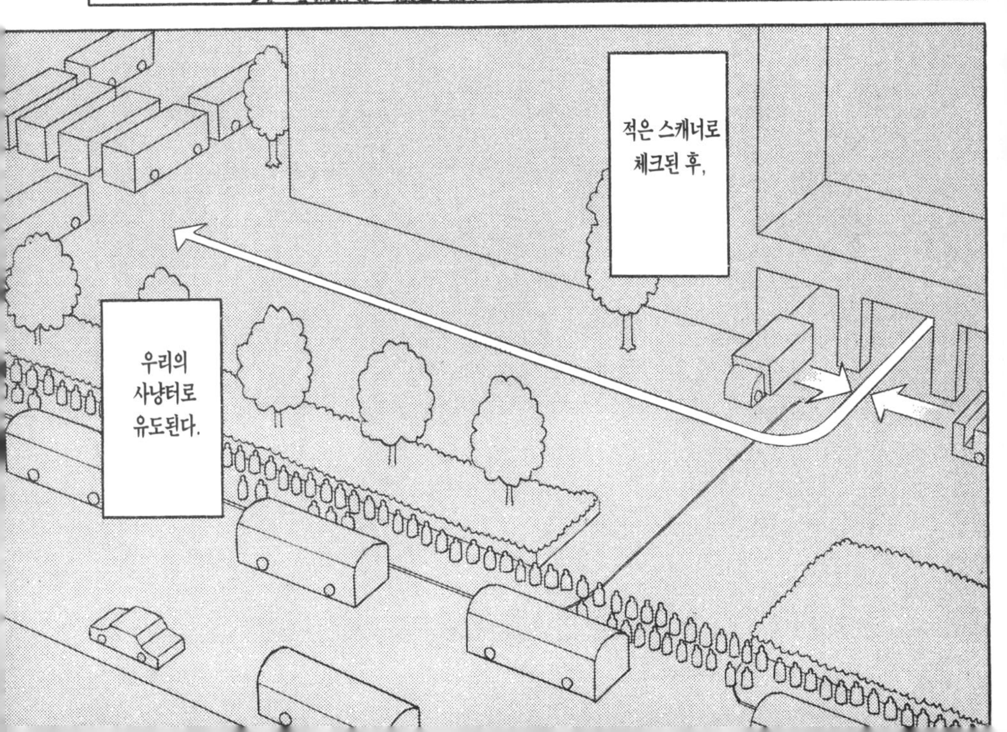
적은 스캐너로
체크된 후,
우리의
사냥터로
유도된다.

현재 시청 옥상에
총을 든 괴한이
있습니다.
주민 여러분께서는
외출을 삼가 주시고,
집 안에서도
시청이 보이는 위치에는
절대 서지 마십시오.
어머나.

방금
범인에 대한
정보가
들어왔습니다.
범인은 현재
옥상 북쪽에
있다고
합니다.

흠흠….

범인의 눈을 피해
현관에서 서문을 향해
건물을 따라
대피하시기 바랍니다.
후~
살았다~.

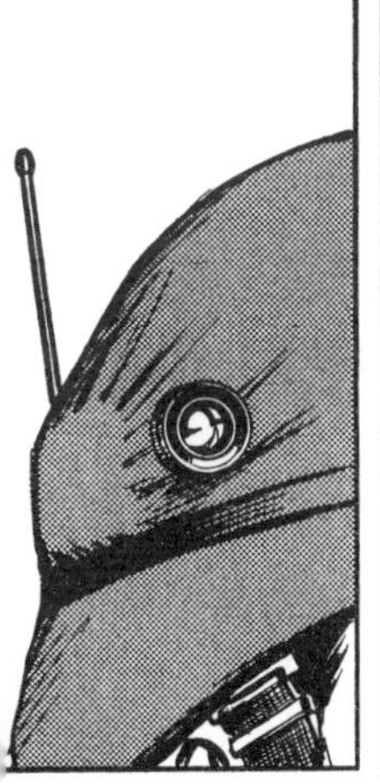

그러니…
일곱 명이 한 조로
질서 있게
대피하겠습니다.

하지만
한 번에 많은 인원이
이동하면 범인에게
들킬 우려가 있습니다.

뭐어—
일곱 명씩?
겨우….

걱정 마십시오!
저희 대원 두 명이
앞뒤에서
경호하겠습니다.
그 대원에게는
항시 무선으로
범인의 행동이
전해지고 있습니다.

와글 와글
차례를
정해야지….

아닙니다.

시장님부터
가시죠.

이어서
여성분들을….
어린이와 노약자를
우선적으로
내보냅시다.

흥.

시청직원들은
가급적 뒤에
남기 바랍니다.

모른다니까!

…그나저나
엄청나네ㅡ.
무슨 전쟁도
아니고.
까딱하단 명함도
못 내미는 거
아냐?

이런 화면 갖고
어떻게 알아?
직접 봐야지.

얼라?
이게 누구야?

아….

시끄러워! 닥치고 있어!
군대 갖고도 모자라서 살인범에다 어린애까지 동원하는구만! 대단하셔!
우히히히히~
형사양

…….

어떤가, 있나?
화질은
썩 좋지 않네만
여기서 홀의 모습을
볼 수 있다네

잘… 모르겠는데요.

한몸에
여러 마리가
공생하는
변종이라….

흠—.
여기에 없는 건지
아니면 얼굴을
바꿨는지….

변종….

게다가 그것이
자네가 본 그놈뿐이란
보장도 없으니.

그리고 또 하나.
이 시의 시장
히로카와 말인데….

그놈 하나뿐인 것
같던데….
그래….
타무라 레이코의
말로 미루어
다섯 마리 공생체는
「고토」인가 하는…

그래.
문제의 히로카와….
히로카와가
어쨌다는 거지…?

그럼 일곱분 나가실까요?

…….

그 총 한번 겁나게 생겼구만….

범인도 안됐어.

첫번째 팀입니다.

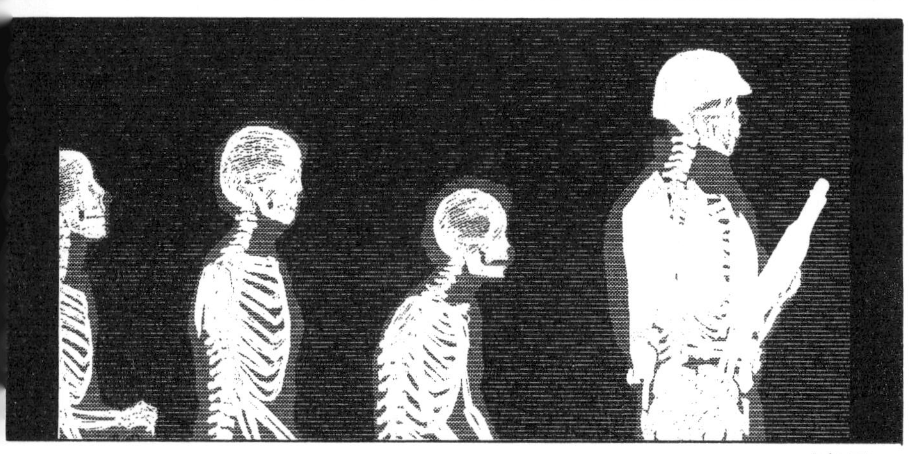

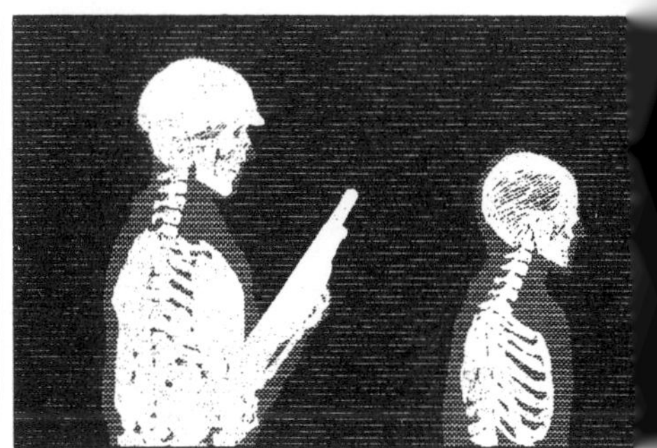

휴—
없습니다.

저중에는
없다….

다음 일곱 명.

이중에도
…없군요.

다음…
도….
없음!

이 기계, 제대로
만든 겁니까?
확실합니다!

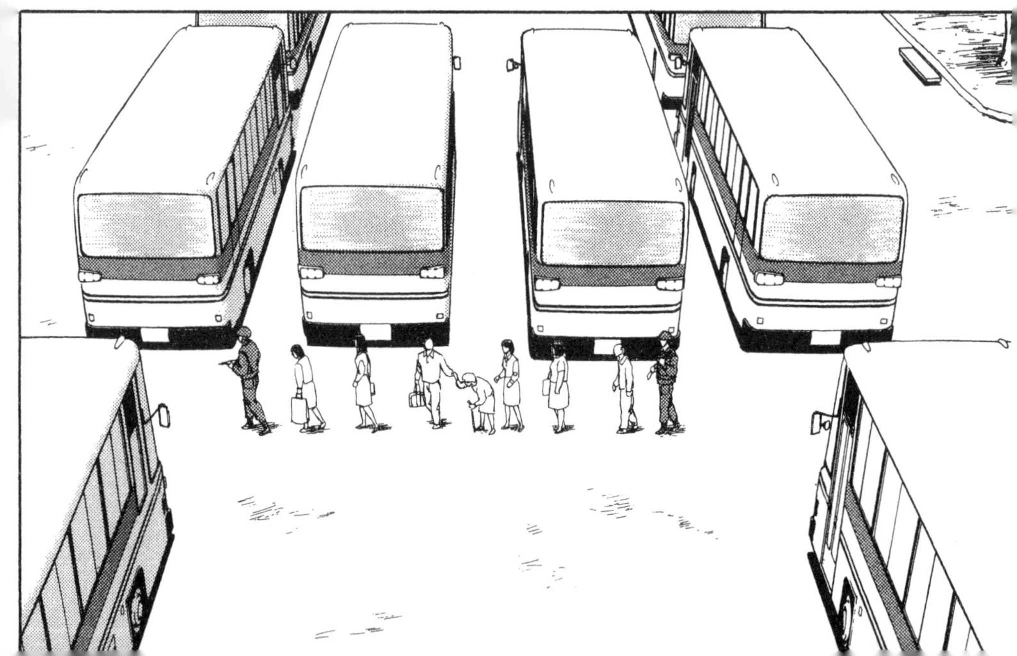

의외로
적은데…
좋아.
한 번에
10명으로
늘려!

오른쪽아.
놈들의 머릿수를
알 수 있겠어?

…화면으로는
알 수 없고,
거리도 꽤 멀어서
정확히는 모르겠지만…
제법 되는군.

!
있다!!

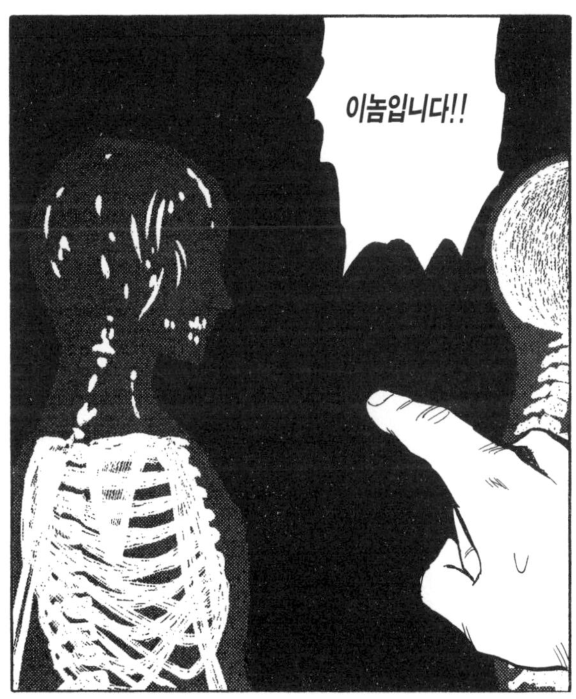
이놈입니다!!

제52화 —끝—

제53화 점 화

며칠 전.
콰아앙
…히라마 씨, 그쪽 젊은이는?

보아하니 고등학생 같은데….
목격자입니다.

허….
머리 이외에 팔다리에도 기생한 놈이라….

그래서… 그 녀석은 다른 기생수보다 강하다… 그 얘깁니까?
그럴 가능성도 염두에 둬야죠.

…학생.
자네는 최근 히라마 씨가 한 마리를 처치하는 것을 눈앞에서 봤다지?
예….

예컨대 비전문가의 의견이라도 상관없는데, 자네가 본 그 강해 보이는 복수공생체라는 놈에게 권총보다 효과적인 무기라거나… 무슨 아이디어가 없겠나?

…….

물론 불만 갖고는 물리칠 수 없지만 효과는 있을 거야.
뭐어? 그렇게 빠른 놈한테?
예컨대 화염방사기 라거나.
어, 그래? 그랬나….
신이치, 너는 성냥을 늘 왼손으로 켜지?
?
말하자면 뜨끔하게 만든다는 거지. 그것도 표면만.
제어권이 네게 있을 때는 수저나 펜을 오른손에 쥘 수 있지. 하지만 성냥이나 라이터는 무의식중에 왼손으로 쥐게 됐어. 이건 내 표면세포와 내측세포의 반사반응 차이 때문이야.
내가 기생한 이후, 오른손으로 성냥을 켜다가 자주 실수했기 때문이야. 그은 순간 무심코 불 붙은 성냥을 떨어뜨리거나 던져 버렸지.
그런가….

기생생물도 인간 정도의 지능이 있으니까 덮어놓고 불을 무서워하진 않아. 안팎으로 마음이 갈라지지.
…뜨끔, 하는 거야.
헤에—.
「고토」는 몸 여기저기에 기생부분이 있고 그것을 한 의식이 통솔하는 셈이니 더하지. 아마 조금만 놀라도 균형이 무너질 거다.
음, 그럴듯해!
화염방사기 같은 걸로 갑자기 불을 들이대면 최소한…
아하.
넘어지긴 할 거야.
휙익

푸하하하!
아… 실례.

화염방사기….

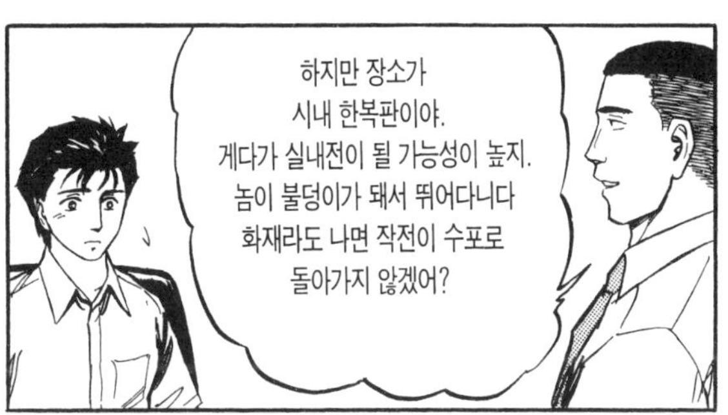
하지만 장소가 시내 한복판이야. 게다가 실내전이 될 가능성이 높지. 놈이 불덩이가 돼서 뛰어다니다 화재라도 나면 작전이 수포로 돌아가지 않겠어?

아니… 나쁘지 않을지도.
음…

문제없어! 한몸에 몇 마리가 있건 심장은 하나일 테니!

우리가 택한 무기만으로도 충분히 물리칠 수 있습니다.

첫 번째는
여자라….

이 얼굴이 갑자기
칼로 변한다니…
놀라운걸.
게다가 그 전투능력은
사람이 칼을 휘두르며
달려드는 것과는
비교도 안 된다니.

놈들을 생물,
즉 맹수처럼 생각해 육체에
손상을 가해 약화시킨다는
생각은 버려야 한다.
단번에 끝장내지 않으면 고통에
몸부림치지도 않고
담담히 공격을 계속한다.
무엇보다…
놈들의 가장 무서운 점은
아픔을 전혀
못 느낀다는 것이다.

기계의
움직임을 멈추려면
맨 먼저 그 모터를
부숴야 한다.
놈들은
생물이 아니다.
악마가 조종하는
기계다.

즉, 샷건.

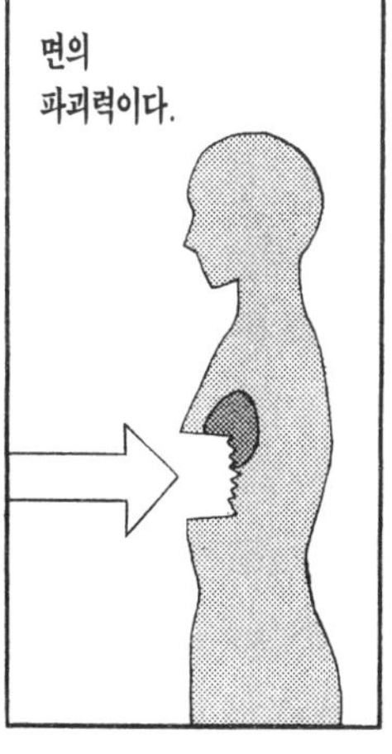
면의
파괴력이다.

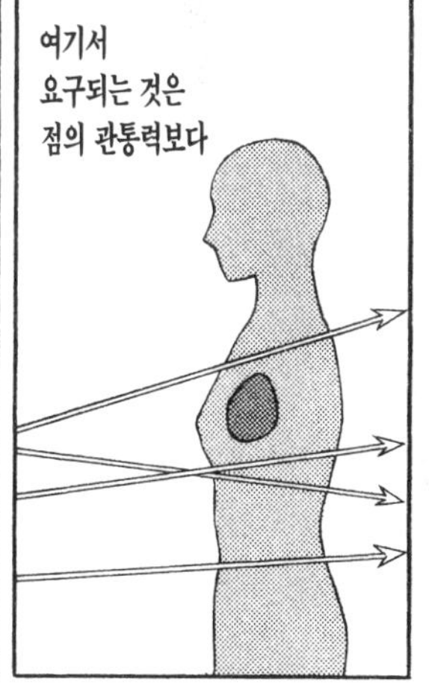
여기서
요구되는 것은
점의 관통력보다

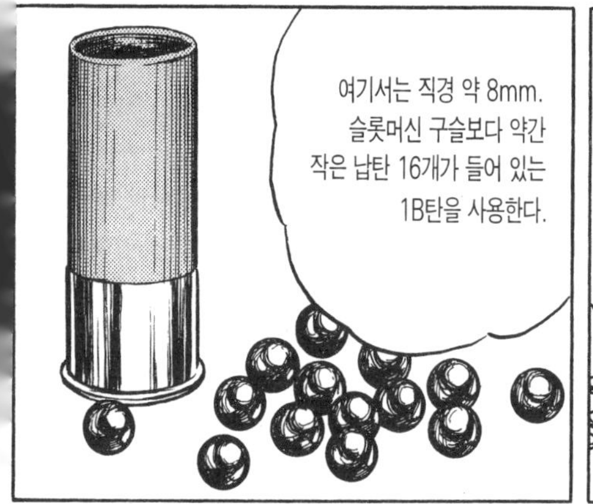
여기서는 직경 약 8mm.
슬롯머신 구슬보다 약간
작은 납탄 16개가 들어 있는
1B탄을 사용한다.

그러나 몸속 몇 cm 깊이에
있는 심장을 완전히
파괴하기 위해서는
은단만 한 작은 산탄은
적합하지 않다.

로저!

옛.

사삭

척
?

자, 여러분,
이쪽으로—.

그래…
잘 맞히면
한 방에….
어머…?

아앙

チ

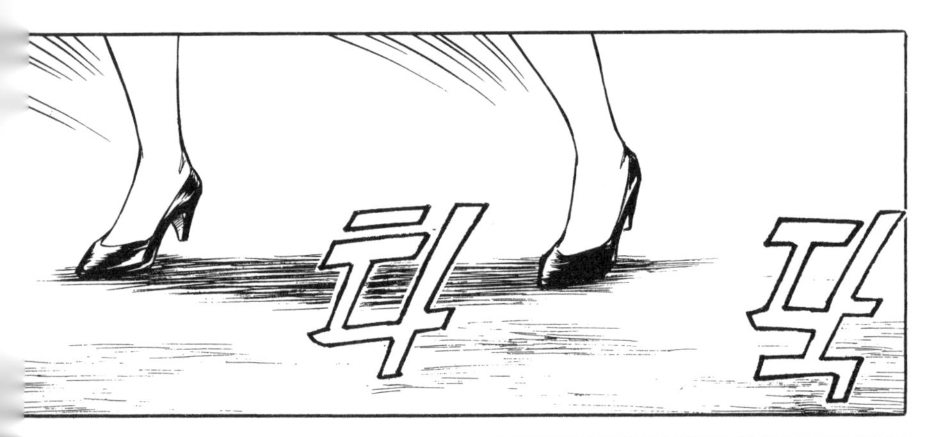
터
덕

우….

……!

파삭

슈
욱

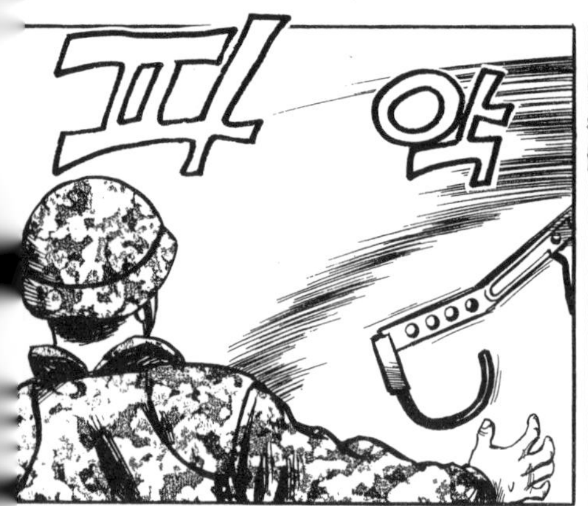
파악

으악!

쏘지 마….
일단 기다려라!

흐이익!
철커덕

꺼어어억
그어어…!
철썩

해치웠다…!

해치웠어!

단
한 발로!!

샷건
한 발로….

황당하군요….
산탄으로 심장을
뚫기만 해도
죽다니….
콜럼버스의
달걀 같은
거지.

통로 전환!
사체를
수용하라!

부르르르…

뭐야, 뭐?
웅성
웅성
방금 그거…
총성 아닌가?

여러분!
여러분, 조용히 하십시오!

흠… 으흠.

방금 옥상에 있는 범인이 발표한 것 같습니다만, 건물 반대측에서 전혀 다른 방향을 향한 듯합니다.
단순한 위협사격으로 생각됩니다만 만약을 위해 몇 분 간 상황을 살핀 후 대피를 재개하겠습니다.

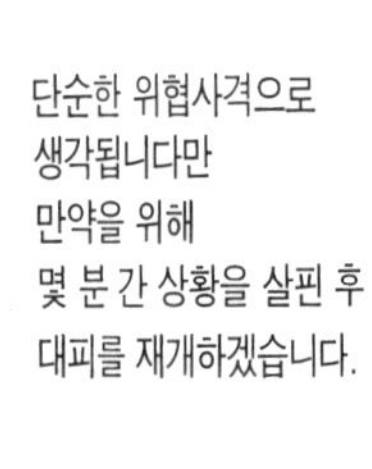

죽었다…. 눈 깜박할 사이에….

인간들이 세게 나오는군.

자… 어떻게 한다….

…….

자아!
찾아볼까나.

「대피」 재개.

흠…
이번에도…
없나.

이중에는
없군요.

정말
안 걸리는군요.

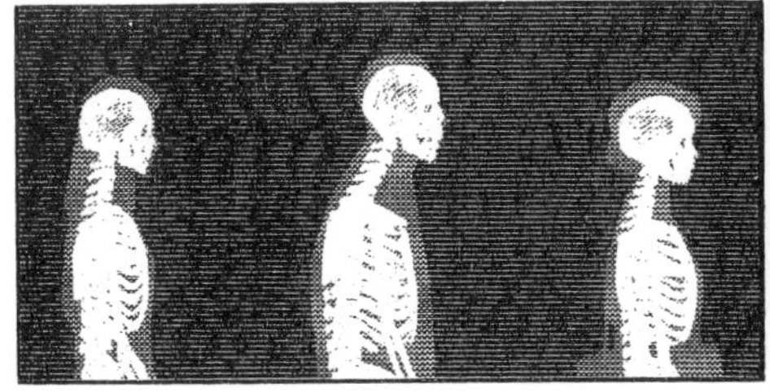

이상하군.
왜 안 나오지?
눈치챘나…?

원래 수가
적었던 게
아닐까요?
…아니야!

야마키시
중령을
대 주게.

뭐야?

무슨
일입니까?
히라마 경위.

그 죽은 사립탐정의
메모에 약간 불명확하게
쓰여 있던 사항이
이게 아닐까요?

아아…
저도 읽었습니다.
괴물들끼리의
텔레파시인가
하는 것 말이죠?

애써 중장비를
동원했는데
고작
한 마리라니!

하지만 그래도
상관없습니다….
차라리 한꺼번에
처치하기
쉬워질 테니까요.

!
지금은 만전을
기할 때입니다!
우라카미를
들여보낼 테니
써 보십시오!

하지만
그 작자는….
응?
잠깐만
기다리십시오.

뭔가?
시장이….

오늘 안에
꼭 회의실에서 토의해야
할 문제가 있습니다.
지나가게 해 주십시오.

회의실은
바로 위층이니
걱정 없습니다.

듣자하니 범인은
겨우 한 명인데다
옥상에 있다잖습니까?
그러면 엘리베이터를
정지시키고 내려오는 계단을
막으면 되겠군요.
자, 작전은
저희가
결정합니다.

하지만…
굳이 지금….

움직이기 시작한 게 몇 명이나 되지?
시장 이하 40명 정도입니다.

40명… 좋아. 절대 놓치지 마라! 그리고 「대피」에 응하는 사람들의 스캐너 확인을 서둘러!

경위! 히라마 경위.
알겠습니다. 그 초능력자 살인범이란 놈을 보내십시오.

당장 보내겠습니다.

수갑 좀 풀어주쇼. 여차할 때 이 상태면 큰일이잖아….

…….

도망 안 간다니까!
경찰이 이리 수두룩 빽빽인데 뭔 재주로 달아나?

…좋아. 풀어 주지.

어이,
오른쪽아.
우리도 협력하자!
우리도 적을
분간할 수 있잖아.

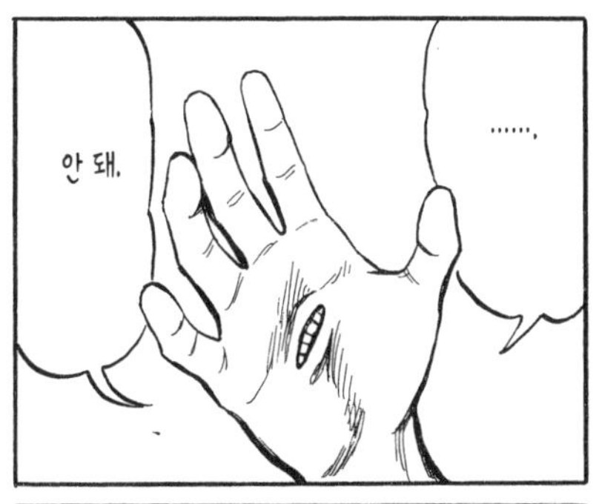
……,
안 돼.

…….

안 됩니다!
협조해
주십시오!

이왕 할 바에는
인간이 아직
많이 남아 있는
지금뿐이다!

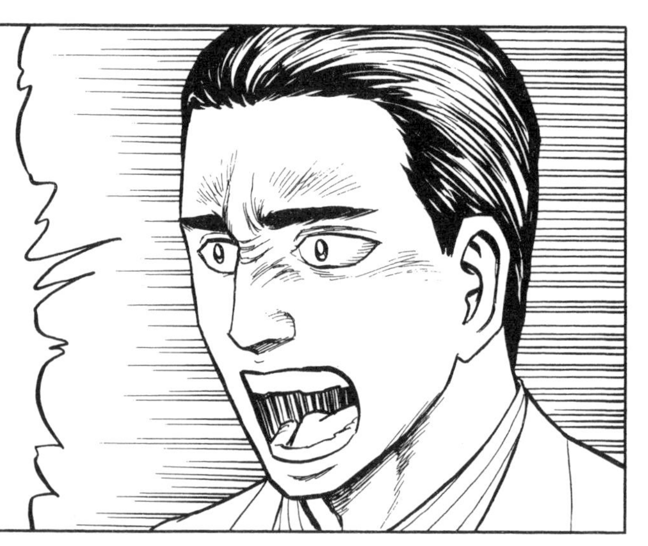
시민에게
총구를
들이대다니
무슨 짓인가!!

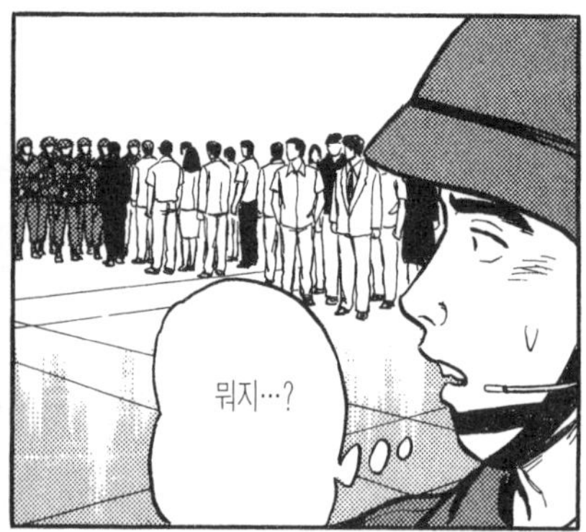
뭐지…?

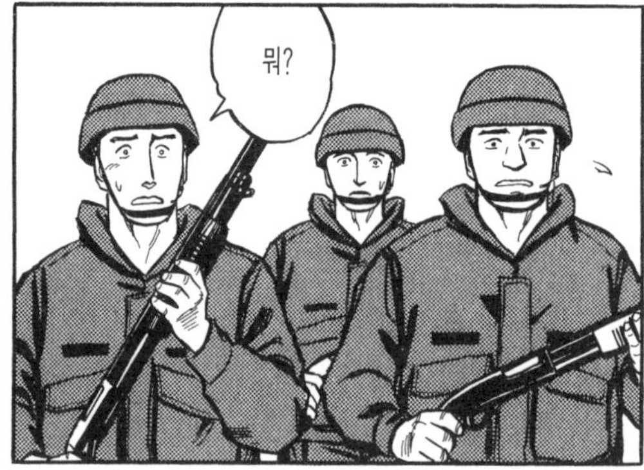
뭐?

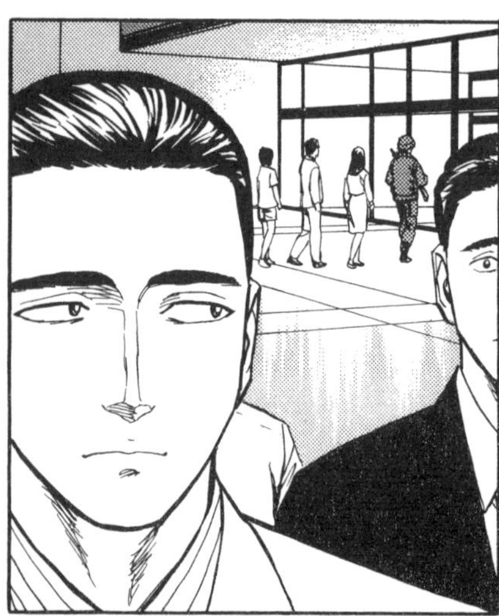

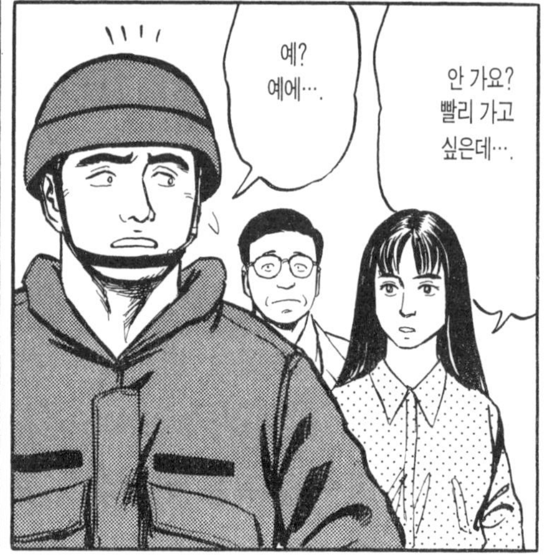
예?
예에….
안 가요?
빨리 가고
싶은데….

제53화 —끝—

제54화
제 압

어차피 나란 놈은….
응? 뭐라고 했어?

형사님… 형사 나리….

척
척
아뇨….
척
척

척
척
척

어?! 어어, 어이!
이래갖곤
알 수 없잖아!

그래··
이 차구나

아, 안 됩니다!
아.

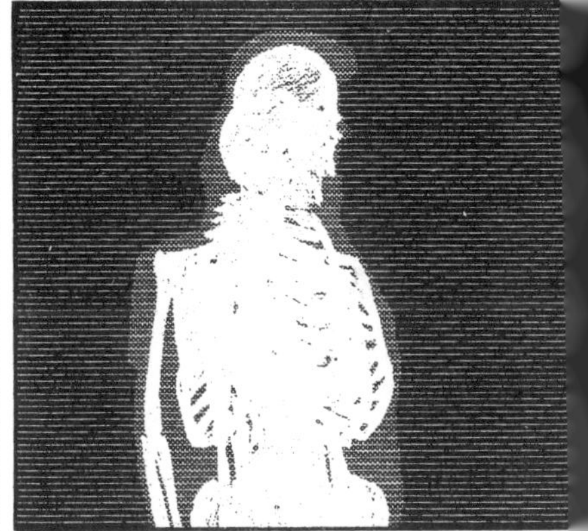

한 줄로 똑바로
서세요!!

아아아!
으아아아—!!
뭐야?!

척 척
!
…

주, 줄줄이
서 있어!
하나 둘 셋….

서,
서라!
거기 서!

앗!

노…놓치면
안 돼!

탕
으억!

뭐!!
아닌데, 그건 인간이야.
아…

털썩

세, 세상에… 이럴 수가.
물러서세요.

예?

저기… 세 걸음만
물러나 주십쇼.
확인해야 하니까.

우라카미…
어이, 우라카미!!
아하,
저놈 이제
죽었다.

예…?

죽여!!
빨리 쏴!!

저쪽은…?

뭐?
타
타
탕
탕
앙
앙
제기랄!!

우억!

와장
창
아아아아아악!
그윽….

으아아아!

까아아아악!

괴물이다아!!

진정들
하세요!!
모두 조용히!!
진정하세요!!
……,
으익?!

휘릭
퍼억
우악!!

턱
어?

이게
무, 무슨 짓이야!!
으으…

어?
으헉?

그놈이다!!
어이,
무슨 짓이야?!

으악!!

나왔구나!!

멍청아!
쏘지 마!!

쐈다!!
탕
으악!
머리가!!
괴물이다!!
탕
죽여!!

앗!
어딜 가나!!
어이!!

됐어!
쫓아가지
마라!
달아난 놈들보다
남은 놈들이다!!
포위망을 좁혀!!

뭐어?!
무슨 소리야!!
포위라니?!
투두두두두두
파바바바바
으악!
왁!

시민은 전원
바닥에 엎드려!
두 손을
머리 뒤로
깍지 낀다!!
5초 안에
실시!
빨리 해!!

절대 일어서지 마라!!
지금부터 허가없이
일어서는 사람은
즉각 사살한다!!

……!

어이,
잠깐만!
갑자기 무슨
황당한 소릴…!

흠…
인간이었군.

으….

잘 들어!!
이중에
패러사이트가
섞여 있다!!
자기가 인간이라고
생각하는 놈은
순순히 내 지시에 따라라!
그러면 집에도
돌려보내 준다!!

대위!

우리는 청사 안을 쓸어버릴 테니.
여기를 맡아라.
옛!

살인범은 이쪽으로!

오잉?

그쪽이 더 효율적일 듯하니 괴물을 똑똑히 확인해.

안 그래?

사돈 남말하고 있네.

무…물론 비상시긴 하지만 …아무리….
웅얼웅얼
아앙? 뭐가 어쨌어?

척
척
척

매, 맨 앞 줄만
천천히 일어나서
한 줄로 서!

손은 머리 뒤로
하고!
깜짝

……

턱

으, 으아아!
파팍
서, 서라!

타앙
타앙
타앙

탕
타앙

헉!!

흐이익-!

......

탕
탕
탕
탕
탕

으아아아아아!

엇!!

덜컥 덜컥 덜컥 덜컥 덜컥

휙익

으아아아
아아아!

우악!
콰앙

일어나지
말란 말
못 들었어?!
제길!!

뚜벅
뚜벅

…….
뚜벅
저벅

왜 도망치려 하지 않습니까?
당신이라면 포위망을 뚫는 건 간단할 텐데.

자네도.

나는 적이 어떻게 나오는지 더 두고볼 생각이지만… 당신은 어쩔 겁니까?

글쎄… 여기
달아나 봐
무의미한
같아

흠….

좋을 대로 하십쇼.

여기서 본관과 의사당으로 나뉜다. 나는 본관 진입부대를 지휘하고―.

살인범은 의사당
부대와 합류할 것.
이봐,
형씨!
어차피 당신도
살인범 아닌가!

하지만
그쪽은
적의
식별을….

걱정
마시오.
나도 이제 괴물을
분간해낼 수
있게 됐으니까.

…?!

쾅

휴—
싫어라.

꺄아—
우아아아아아

우라카미!
빨리 가 봐!
으헉!
밀지 마쇼.

아아아아아아….

빙신들…
사람이야,
사람.
둘 다.

내가 없었으면
둘 다 벌집이
됐을걸?

속도 편해.
당신들!
이 와중에
뭐하는 짓거리야!!

음.

살려 주십쇼.
휴, 살았다.

쏴.
하… 하지만.

퍼엉!

으… 어….
봐라.

하지만 어떻게
아셨습니까?

1층 홀에
없었으니까.

예?

아무튼…
보이는 대로 쏴!

싸움은
처음부터
인간측이
우세했다.

그 자세를
노골적으로
드러냄에 따라
패닉은 수습됐고,
원래 공격부대의 목적은
시민의 보호와 상관없는
적의 섬멸이었지만,

몇 명의 희생자는
나왔지만
확실히 기생생물을
「박멸」하고 있었다.

타앙..
다다다다...

우리는 약해…. 혼자서는 살아갈 수 없는 세포체에 지나지 않아.
그러니까…

그러니까… 너무 미워하지 마….

콰앙

타당

제54화 —끝—

제55화 기생수

「눈」인 네가
뒤에 서면
어쩌자는 거야?
이거 봐….
이건 거의
선두잖아!

어!
자, 잠깐만요!
난 아닙니다!
서라!!

…싹!

자, 잠깐만요!!
으아아아아아!

힉!
뭘 꾸물거려, 죽을래!!

타앙

파박

쳇, 어딜 쏘는 거야?

…….

자, 잡아라!!
다
닷
타
타
앙
앙

…….
끄…으.

대형 산탄으로
동체를 파괴한다….
제법
효과적인걸.

다워보이긴
하지만
일단….
이놈은…?

!

그냥 다 쏴 죽이면
될 걸 갖구….
씨―.
귀찮게―.

알았

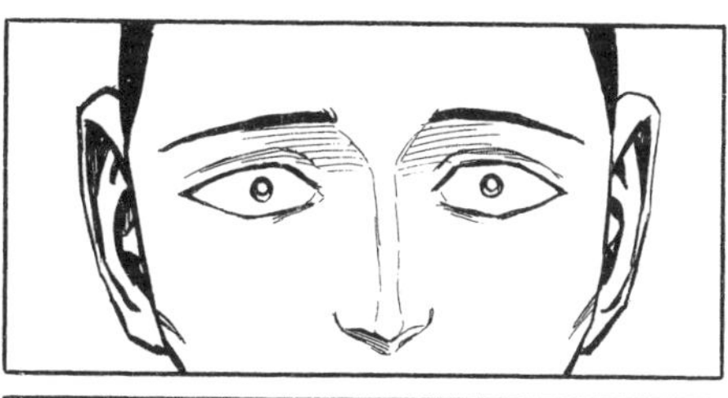

으아아아
아아아!

우라카미?!
어딜 가는 거야?!
호이이이이이!

…?

따라와….
이쪽이 더 넓으니까.

…….

좋아.
반만
날 따라와!

소대장님!
회의장에도
한 놈 있습니다!

방심 말고
원거리에서
포위한 다음
일제사격으로
처치해!
옛!

이놈도
괴물은 틀림없는 것
같지만 다른 놈들과
분위기가 다르다.

뭐야…
겨우 이건가?

뭐라고!

한꺼번에
처치하려고
했더니.

거기 서!!
우라카미!
헉헉 헉헉!

저놈을
못 봤어?
왜 그래?
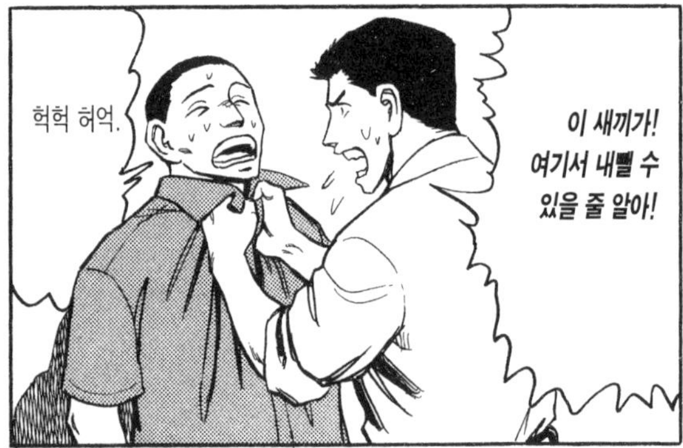
헉헉 허억.
이 새끼가!
여기서 내뺄 수
있을 줄 알아!

후…!

뭐야…?
댁들은 저게
…사람으로 보여?

…뭐라고…!

쏴라!!

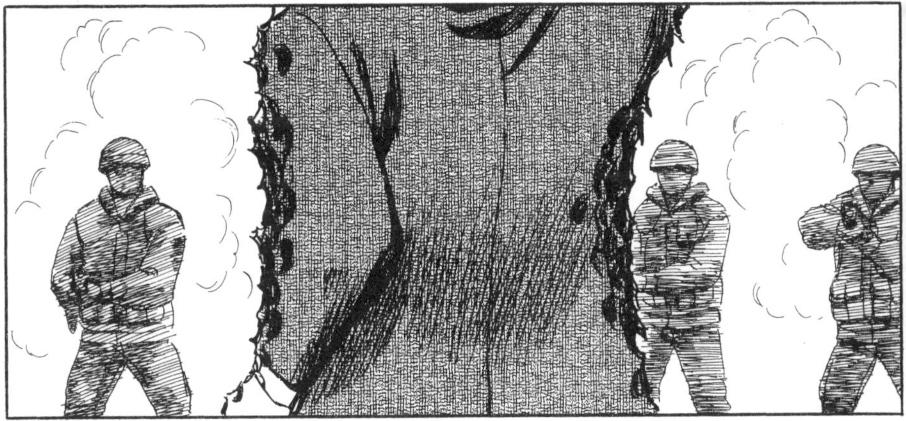

…왜
안 쓰러지지…?
피… 피가
전혀 안 난다!

중지!
콰 앙

자각 자각
자각

자각
무슨… 소리가 나는데….
자각

저놈의 몸속에서 난다!

자각 자각
자각

우아악!!

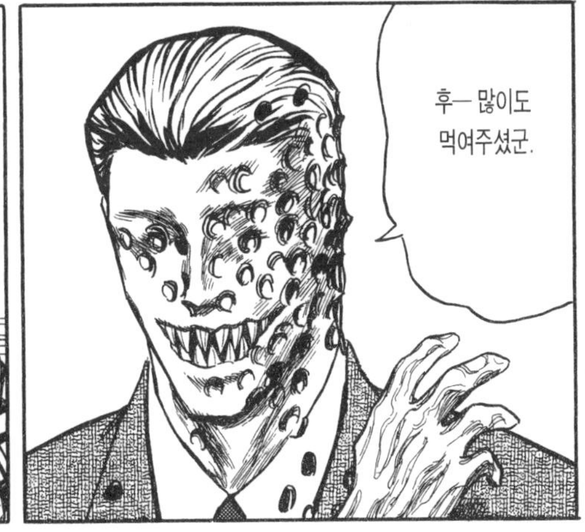
후— 많이도 먹여주셨군.

피익

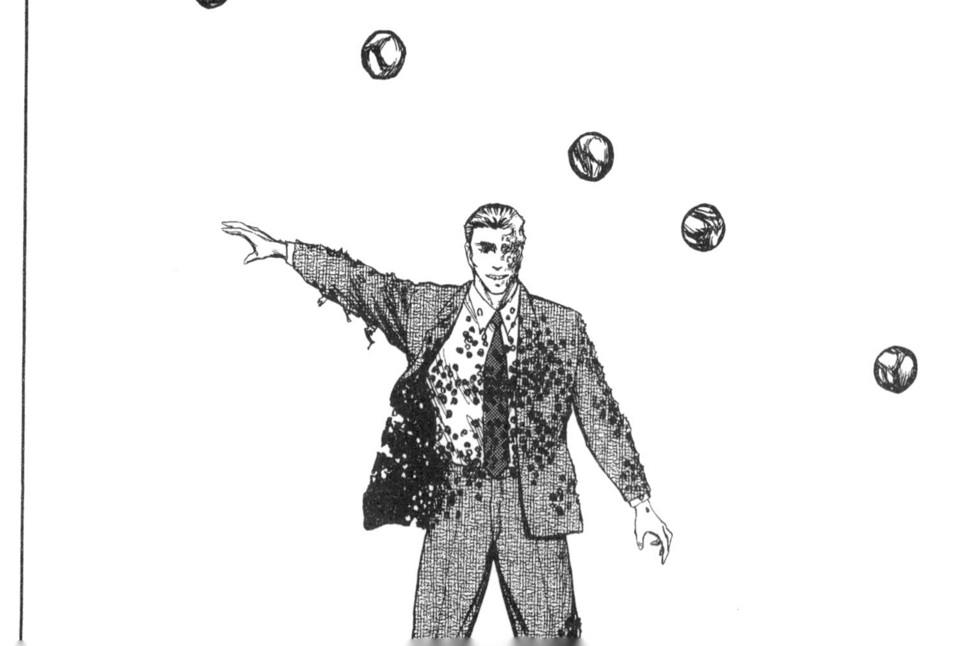

억!
툭

털썩

설마…
산탄?!

저놈의
팔에!!

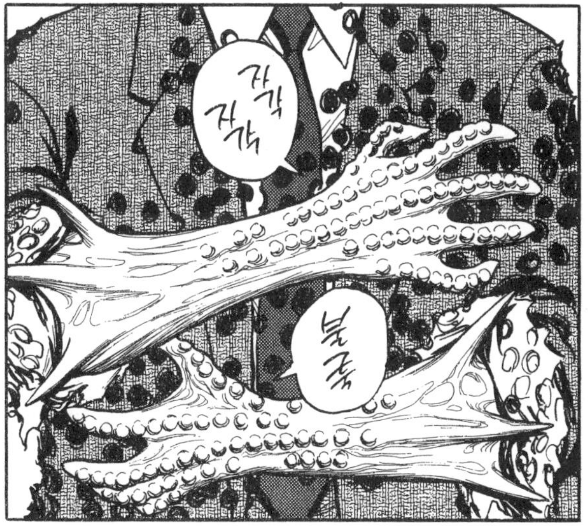
자각
자각
불룩

끼
끼
끼
웅
웅
웅

으아아악!!

윽!

커헉!

채 채 채
강 채 강 강

파바바바

으으….
끄윽.

뭐야,
살아 있는 놈도
제법 있는걸.

그래…
방탄복 때문이군.

…….

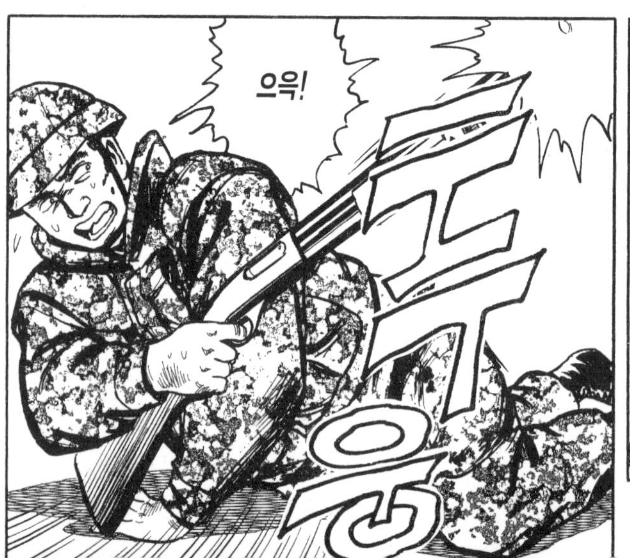
으윽!

이런 걸 두고
「썰렁하다」라고
하던가?

30초면
말끔해지겠군….
크흑….

자!
돌아가자,
우라카미.
노,
농담하지 마!

…작작 좀 해!

회의장

여어,
여러분!

히…
히로카와다!
히로카와…!!

우두커니
서 있지 말고
좀 앉지.

…이번은 너희들의
승리라고 해도 좋다.
「살상」에 관해서는
지구상에서 인간을 능가할
생물이 없으니까.
하지만 자네들이
지금 들고 있는 도구는
다른… 더 중요한
목적을 위해 쓰여야 해.

즉… 생물계의
균형을
유지하기 위해.

무슨
소리지…?

너희들의 진짜 역할은…
「솎아내기」야.
척척

조금만 더 있으면 온 인류가 알게 되겠지.
인간의 수를 당장 줄여야 한다는 것을….

좌우로 갈라져!

좀더 있으면 「살인」보다 「쓰레기 투기」가 훨씬 중죄라는 것을 깨닫게 된다.

그리고… 또 좀더 있으면 우리 존재의 중요성을 깨닫고 보호하려 들지도 몰라.
희들은 신의 「천적」을 더 존중할 줄 아야 해.

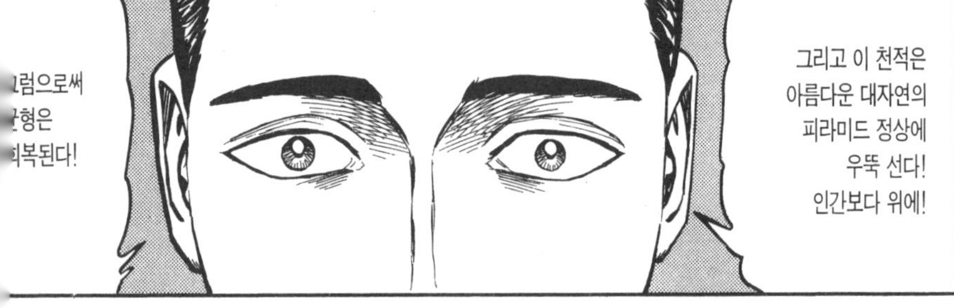

그리고 이 천적은 아름다운 대자연의 피라미드 정상에 우뚝 선다! 인간보다 위에!
럼으로써 형은 복된다!

…지구상의 누군가가 문득 생각한 거다….
모든 생물의 미래를 지켜야 한다고….

시끄러워!!
듣자듣자 하니
이 괴물이
건방지게!!

시장이라고?!
웃기지 마!

저게 뭔데
감히 인간에게
설교를 해?

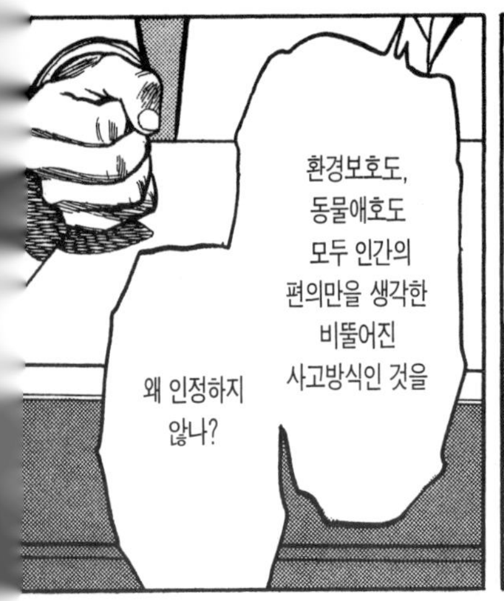
환경보호도,
동물애호도
모두 인간의
편의만을 생각한
비뚤어진
사고방식인 것을
왜 인정하지
않나?

어차피 그렇게
나올 바에는
처음부터 꾸미지도
말 것이지.
후… 이래서
인간들은 정이
안 간다니까.

정의를 위한다고
떠들어대는 인간!!
이 이상의 정의가
어디 있단
말인가!!
인간 한 종의 번영보다
생물 전체를 생각해!!
그래야
만물의 영장이다!!

인간에 기생하여
생물 전체의 균형을
지키는 역할을 맡은
우리에 비하면…
인간이야말로
지구를 좀먹는
기생충…

아니…
기생수다!

쏴라,
쏴!
타
타
탕
타
탕

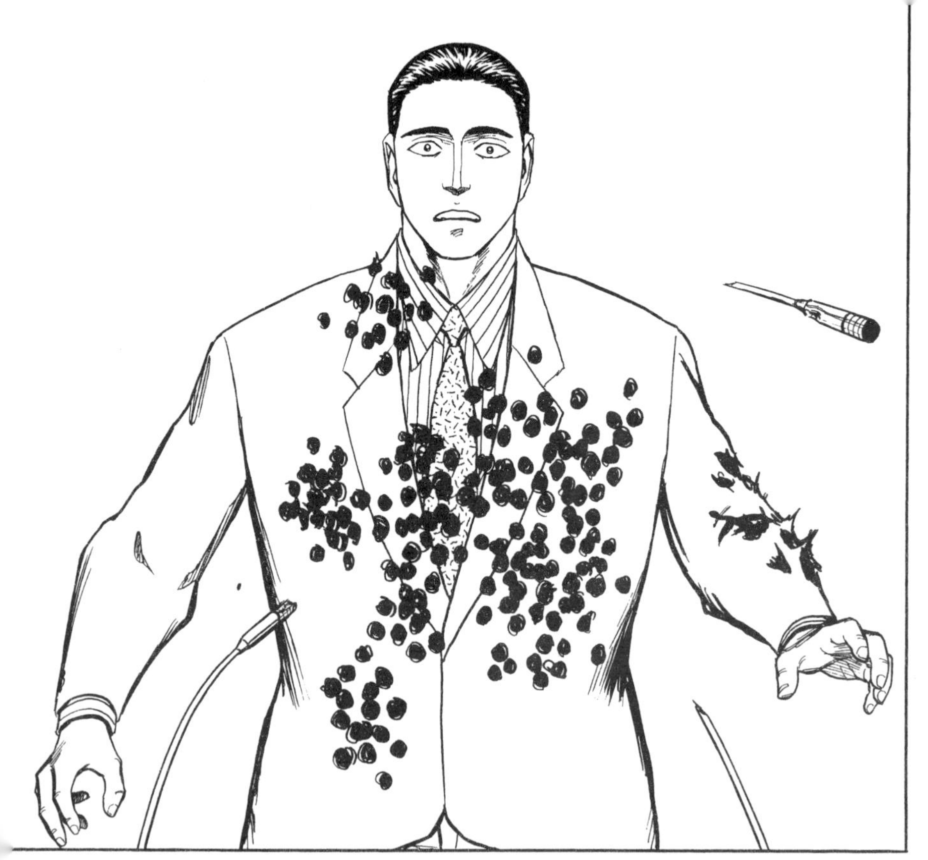

털썩

해치웠다!

두목을
처치했어!
우리가!

…….

이놈…
인간인데요.

왜 그래…?

와장창

뭐야…?

챙그랑
챙
강
탕

스

히로카와….
끝까지 이해 못할 놈이야.

타무라 레이코는 이 인간에게 흥미를 가져서 여러 가지 계획을 세웠는데… 이걸로 다 끝났군.

너희들이 보기에도 신기하지? 이런 인간은.

…….
이제 반 남은 셈인가.

!!

으아아아아아!
히야~
요란하게도
했네.

이럴 수가….
대체 뭐야!
뭐가 있었던 거야!!
그러니까…
아까 그놈이라니까.
그놈은 차원이 달라.
총도 소용없어.

타당
두두두두…
어… 회의장
쪽에서?!

얼굴이 파래,
형사 나리….

의사당 쪽이
시끄럽군요.
전황보고할 틈은
있을 텐데….
타당…

저쪽에 더 많이
숨어 있었나….
괜히 이리 왔군.

후….

무라카미…
너.
하—
팔 떨리는 것 봐라.
역시 난 칼이 더 좋아.
철컥

퍼엉

우와,
재밌네!
손이
날아갔잖아.

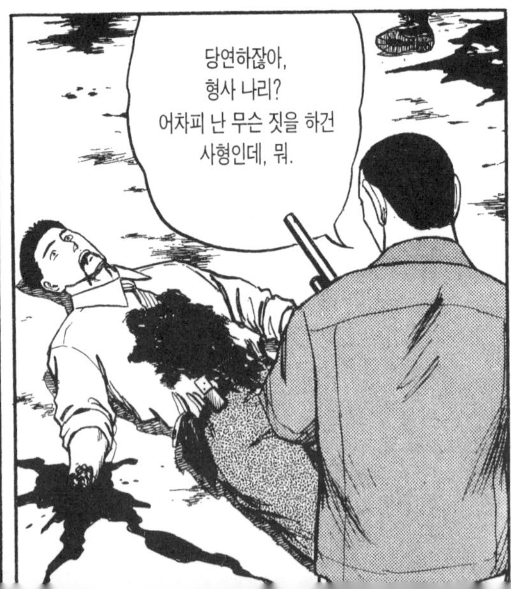
당연하잖아,
형사 나리?
어차피 난 무슨 짓을 하건
사형인데, 뭐.

달아나고 말겠어….
그 괴물이
이만큼 엄청나다면
분명 포위망에도
구멍이 뚫릴 테니!

제55화 —끝—

제56화 목
전에… 타무라 레이코가 곧잘 말했지.
우리가 태어난 목적은 무엇인가….
이젠 어떻든 상관없지만 그래도 한 가지 깨달은 게 있다.

나는
싸우기 위해
태어났다…!!

그걸 어떻게 알아?
게다가 그
「고토」인가 하는 놈을
확실히 처치했는지….

이제 돌아가자,
신이치.
더 이상 있어 봐야
별 수 없어.
우리 역할은 끝났다.

너 좀 이상하다,
오른쪽아….

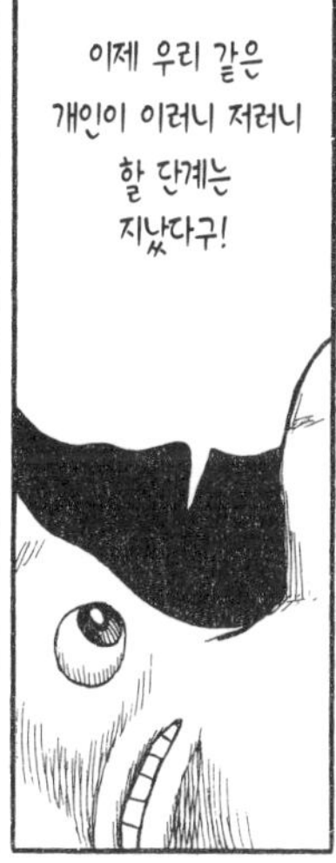

이제 우리 같은
개인이 이러니 저러니
할 단계는
지났다구!

상관 없어!
인간이 이긴 거야!
마음만 내키면
대포건 미사일이건
네이팜 탄이건
다 쏘라고 해!

1층 홀은
거의 끝났군.

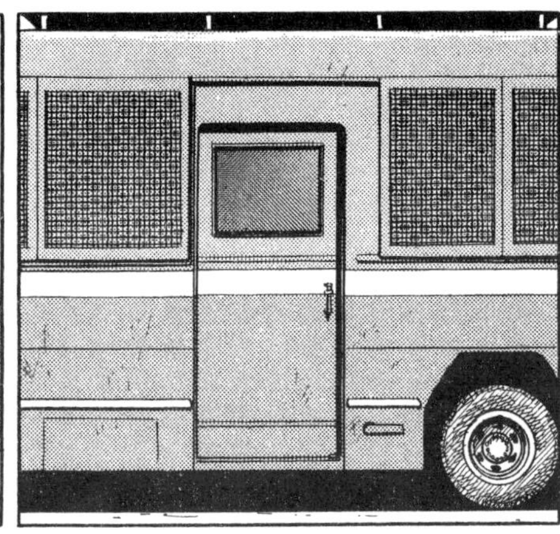

하지만 이건…
여기까지 피냄새가
나는 것 같군요.

그런데 별도로 들어간
야마키시 중령 부대는
어떻게 됐을까요?
여기서도
그쪽 영상은
안 보인다네.

우라카미 놈이
제 역할을 하고 있으면
좋으련만….

아아…
안은 순조롭게
정리되고 있다네.

경위님.
신이치 군이
한 번 더
모니터를
보여 달라고….

…그게
아니라….

하하…
미트 소스로
떡을 친 것 같아.

하지만 이제
안 보는 게….

챙그랑
챙강

챙강

뭐지?
뒤쪽입니다!

오억
콰당

왜 그래!
몇 마리나
있지?

하… 한 마리입니다!
하지만
엄청난 속도로….

샷건이
안 통합니다!!

한 마리라고?!
이건가…?
복수가 공생하는
「변종」이라는 게….

이이이익
으악
탕
탕탕
콰광
저게!!
움직이지 마!!
여기서 대응한다!

전신이 다 보이면 일제 사격이다!!

…….
쏴라,
쏴!!

으아앗!!

박
시아악

으악!

이럴 수가!!
뭐가 저렇게
빠르지?!

퍽 퍽 퍽

슈우웅

오… 오른쪽
방으로…!
!!
파
팍

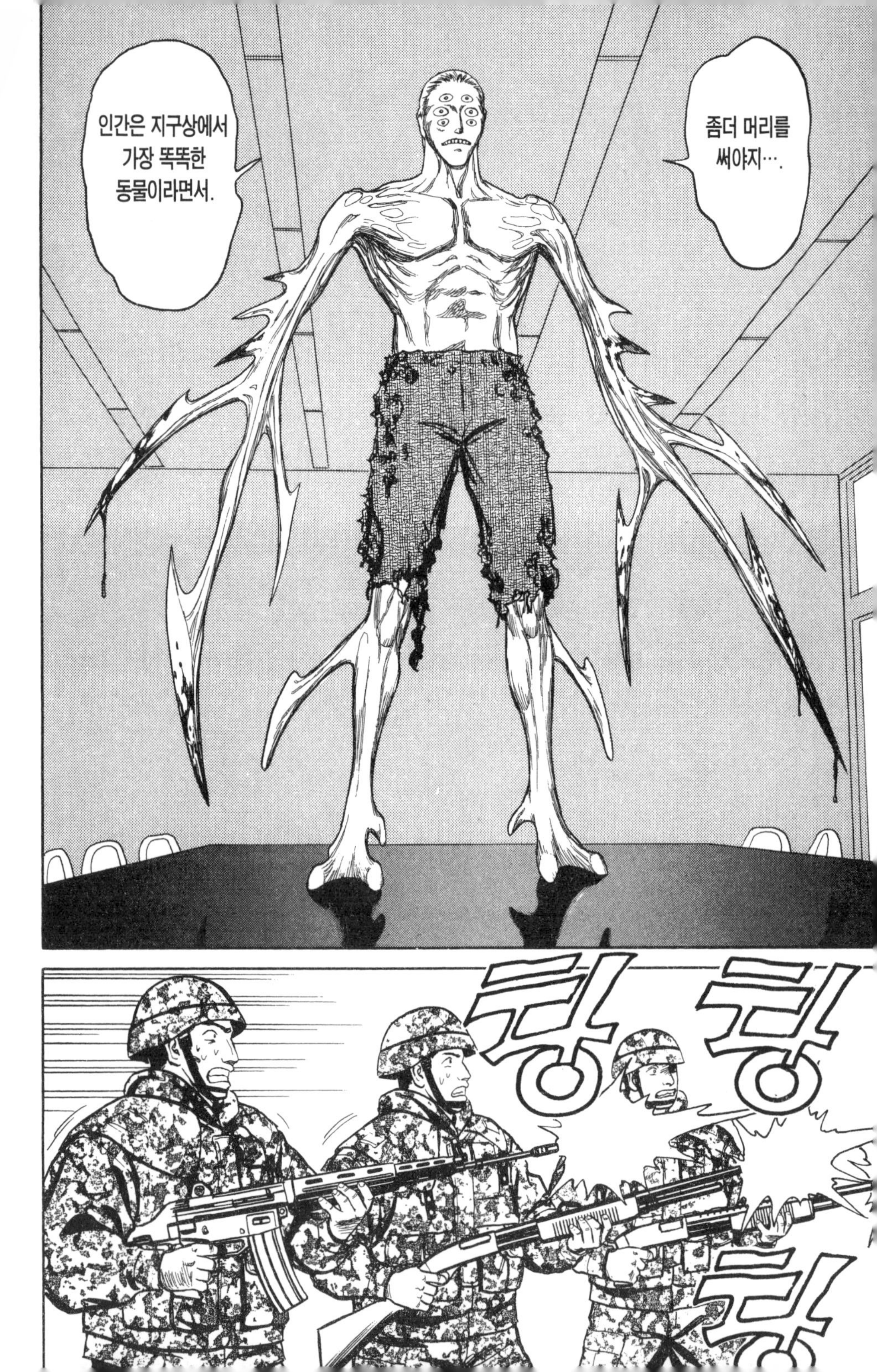

좀더 머리를
써야지….
인간은 지구상에서
가장 똑똑한
동물이라면서.
탕
탕
탕

탕
탕
탕
탕
총알을 피해?!
으아아악!
크억!

피하기만
하는 게 아냐.
방패도 쓴다구.

쏘…
쏘지 마….

쏴!
어차피 살긴
글렀어!

타앙
타앙

콰
각
다
당

제길!
설마 이런
능력이….
완전히 차원이
다르잖아!

우… 우선
퇴각합시다!!

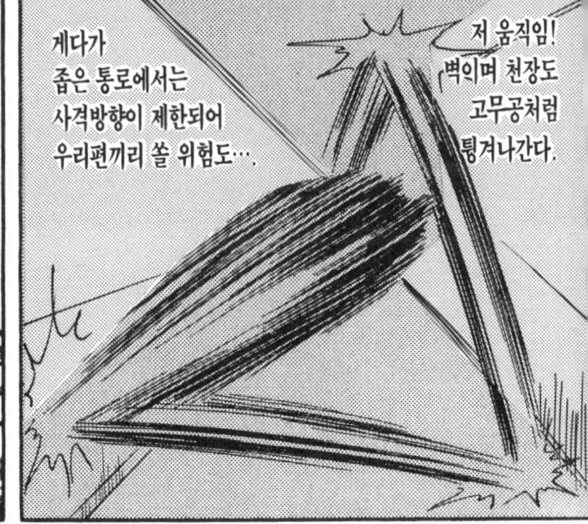

저 움직임!
벽이며 천장도
고무공처럼
튕겨나간다.
게다가
좁은 통로에서는
사격방향이 제한되어
우리편끼리 쏠 위험도….

더 넓은 공간…
…옥상이다!

옥상이다!
전원 옥상으로
올라가!!

처억

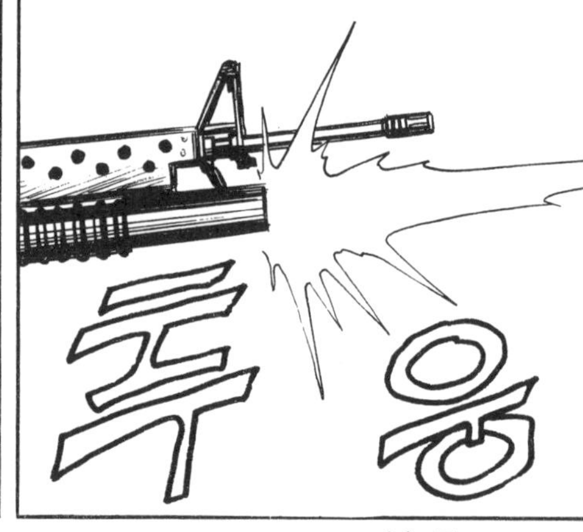
쿠웅

콰과앙
헉!
하나 더!

콰앙

……,

콜록
콜록.

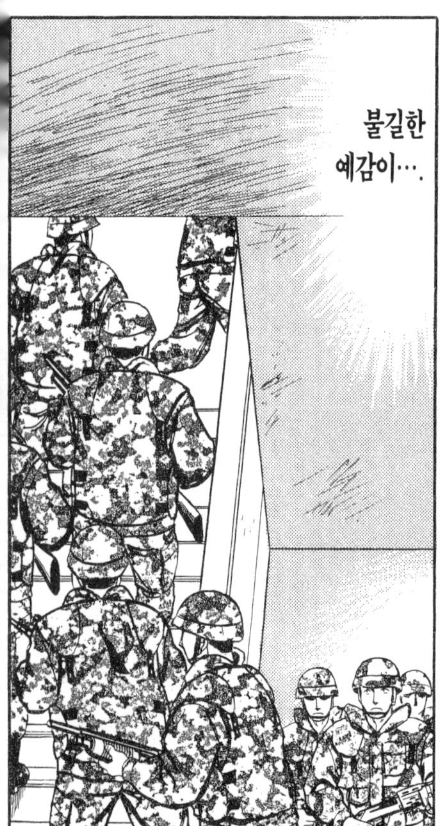
불길한
예감이….

예?
가자!

저… 혹시
저대로
쓰러졌을지도….

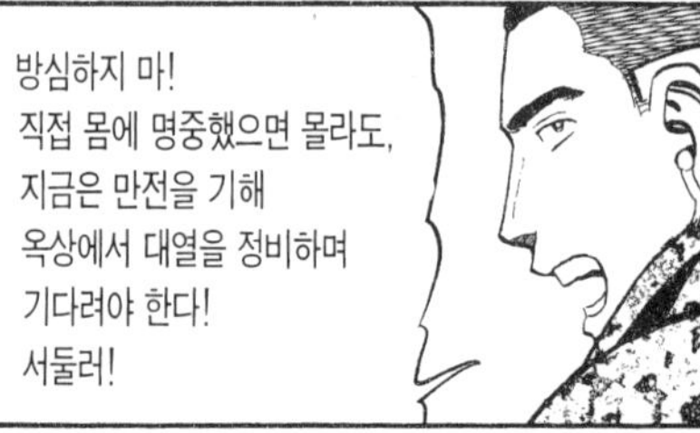
방심하지 마!
직접 몸에 명중했으면 몰라도,
지금은 만전을 기해
옥상에서 대열을 정비하며
기다려야 한다!
서둘러!

적이 그놈이고
장소가 여기라는 것이
불리하다.

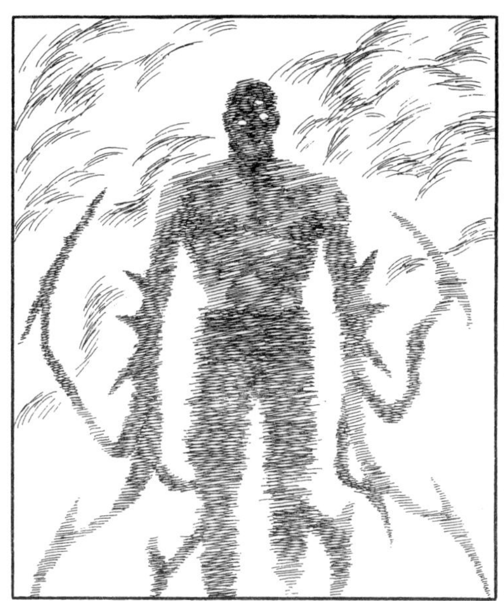

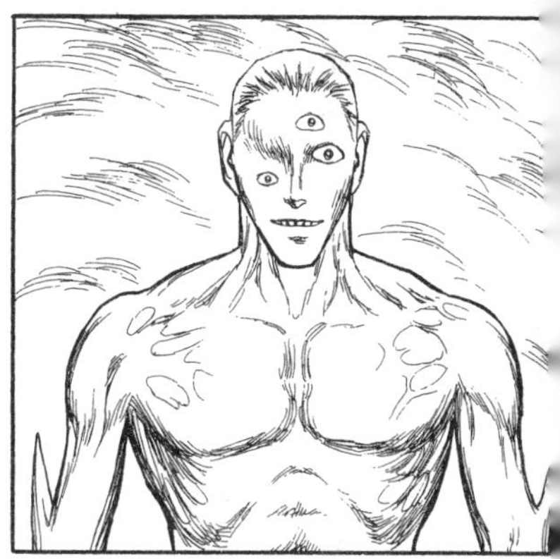

으악,
나왔다!

콰앙
타앙…

역시 틀렸나!
서둘러!!

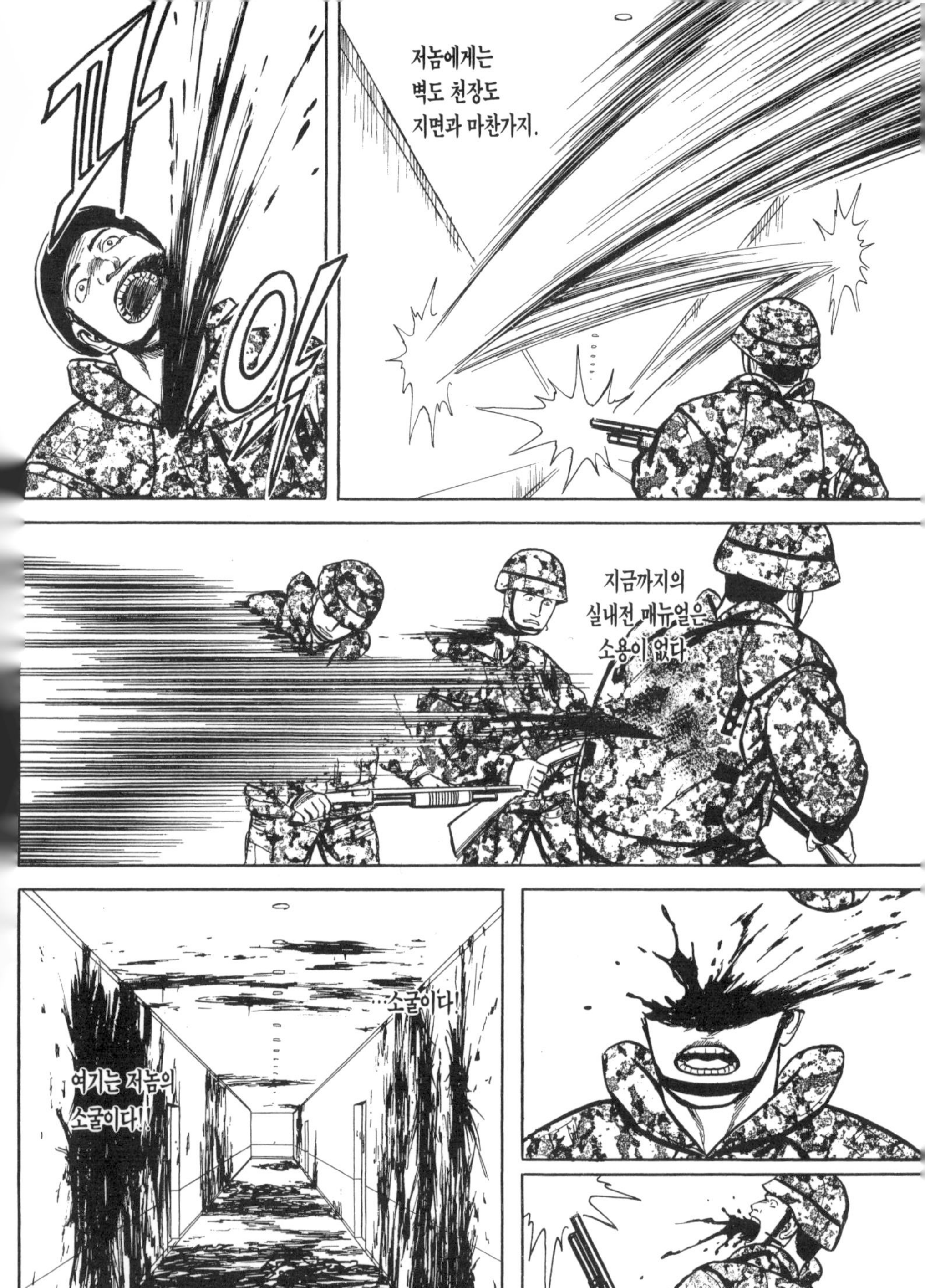
저놈에게는
벽도 천장도
지면과 마찬가지.
끄악
지금까지의
실내전 매뉴얼은
소용이 없다
…소굴이다!
여기는 저놈의
소굴이다!!

인간이 만든
근대적인
구조물 안에서,

콰앙

지형적 열세에
몰릴 줄은—
생각지도
못했다!!

좋아,
좌우로 갈라져!
여기서라면
잡을 수 있다!!

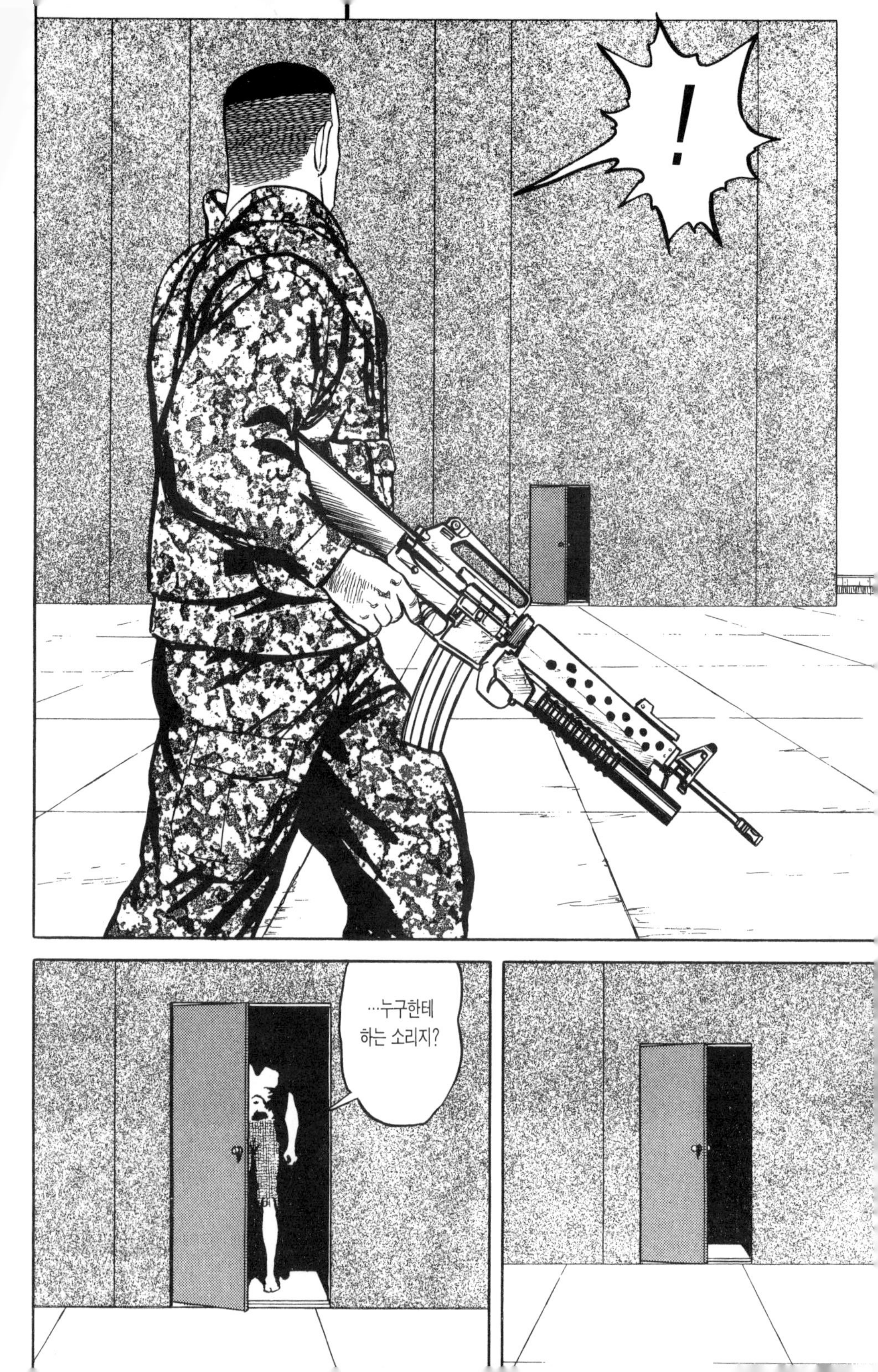
!
…누구한테
하는 소리지?

…설마….

너 혼자다.
다른 놈들은
다 치웠다.

아니…
흩어놨다는 게
정확할까.

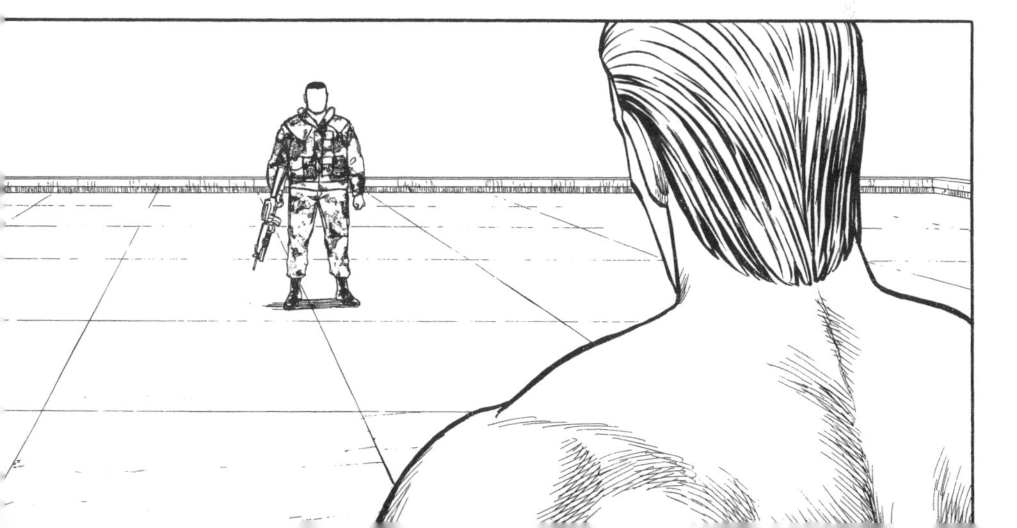

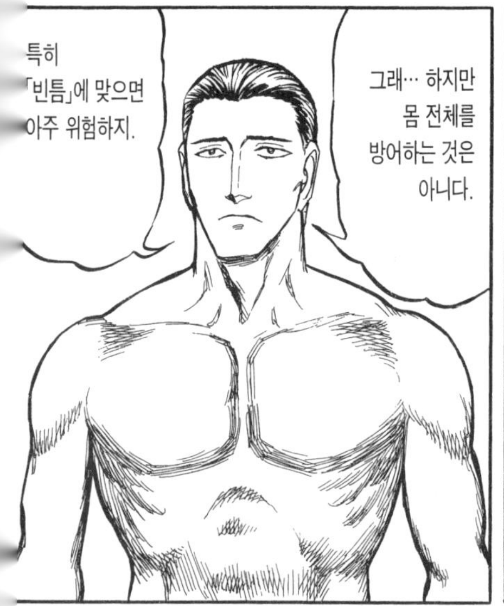
특히
「빈틈」에 맞으면
아주 위험하지.
그래… 하지만
몸 전체를
방어하는 것은
아니다.

설마
동체에도….
어… 어떻게
된 거냐,
네 몸은.

이번에는
너희들의
물량공세 덕에
약간의 손상을
입었다.

울컥
울컥

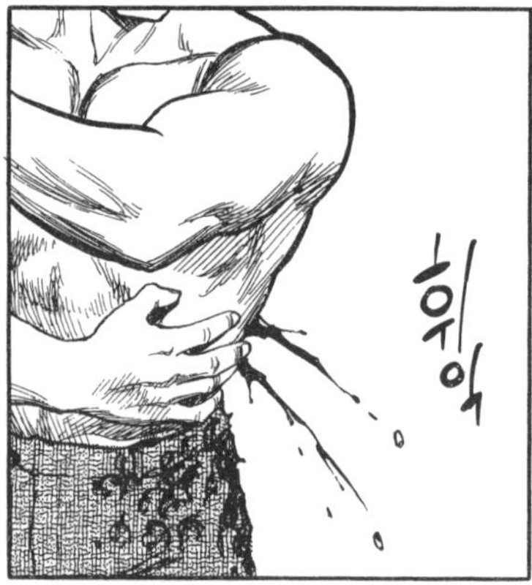
휘익

두두두
지이잉!
팅
팅
으아아아
으아아아!
두두두두두두두

투두두둑

아무리 세포를
경질화시켰다지만
소총 탄환을
정면으로 받는 것은
상당히 위험하지.

팅팅
그래서
이렇게
비스듬히
튕겨내는
거다.

이 자식이!!
놀리고
있어!!

콰앙

콰아앙

!!

또한… 총알을 피한다지만 총알보다 빨리 움직이는 것은 아니다.
상대의 안구나 손의 움직임으로 탄도를 읽는 거지.

퍼엉

퍼억
흐억!!

어이,
방금 폭음이!
옥상 같은데!
…….

뭐… 뭐냐….
너…
너희들은….

크… 크헉.

너희야말로
뭐지?

생물…
이라고…?

보다시피…
단순한
야생생물이다.

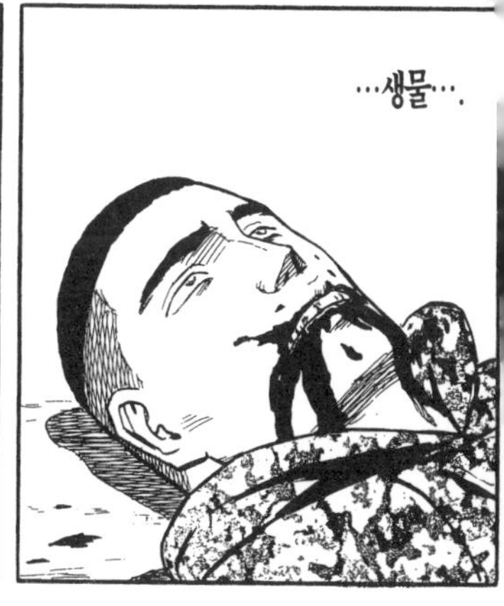
…생물….

후… 화염방사기라….
그것도 나쁘지
않을지도….

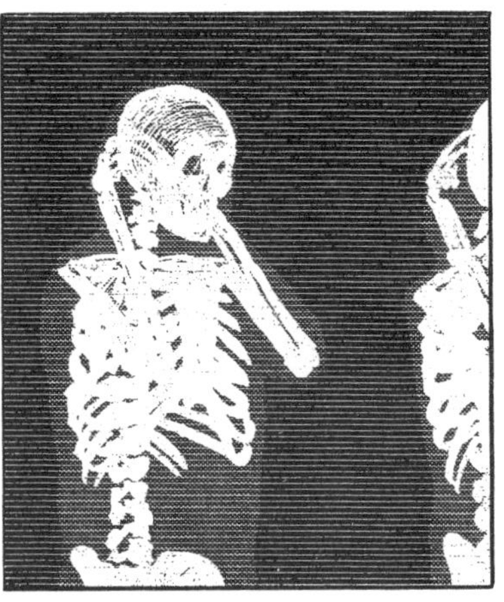

…없음!
후— 끝났다!!

저… 야마키시
중령한테서
응답이 없는데요.
휴—.

…뭐라고…?

어이,
안에는
다 끝났나…?

어, 이봐!!
위험해!!

뭔가가
떨어진다!!

헉.

철썩

으…!
으아아아아악!

저쪽이
왜 저리
시끄럽지?
어이!
함부로
움직이지마.

턱

이봐….
응?

내가 뭐랬어!
?

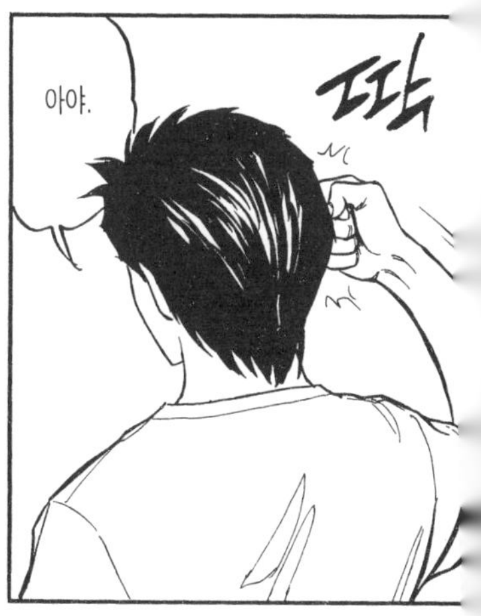
아야.

뭐야…
너였나?
어…?

그 싸움에
네가….
….

그래…
너도 끼어
있었군.
큰 싸움이었지.
다른 「동족」들은
다 죽은
모양이야….

하긴 어차피
이건
벌어진 판이다.
너를 죽이면
마음이 더
후련해지겠지.

그래,
죽여야 해.
그리고
나는 앞으로
나아간다.

그게 무슨
어거지야!

탕탕탕
탕탕
심장만 노린 걸로 치면 꽤 정확했어.
설마….

다음에 하지…. 방해꾼이 너무 많은데다…
오늘은 좀 피곤해서….

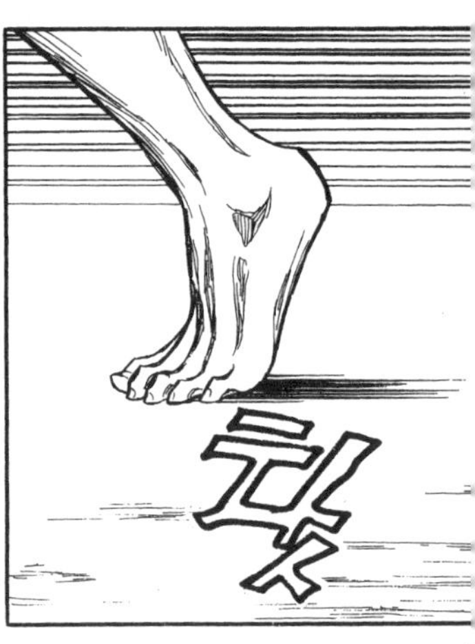

큭

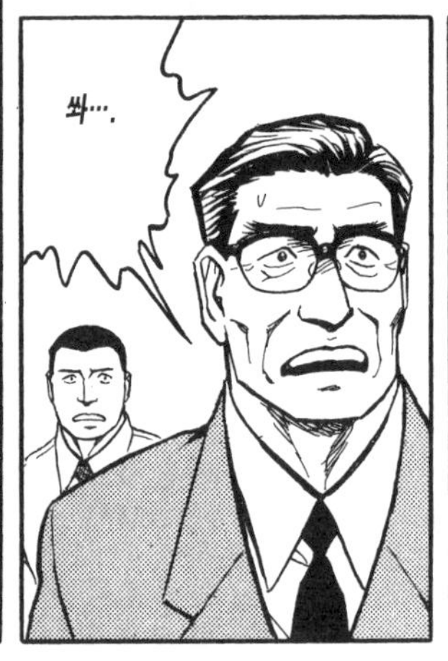

쏴….

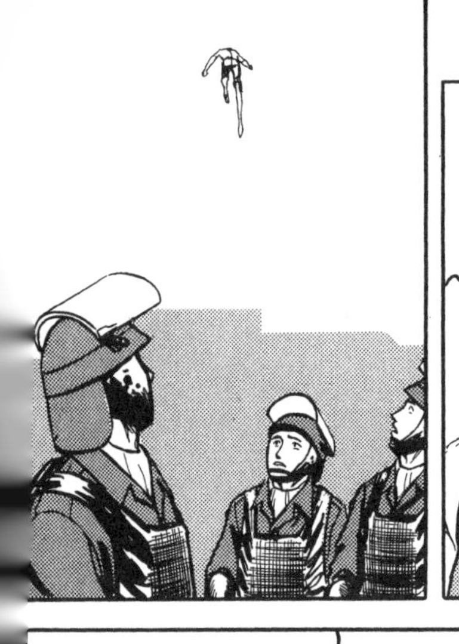

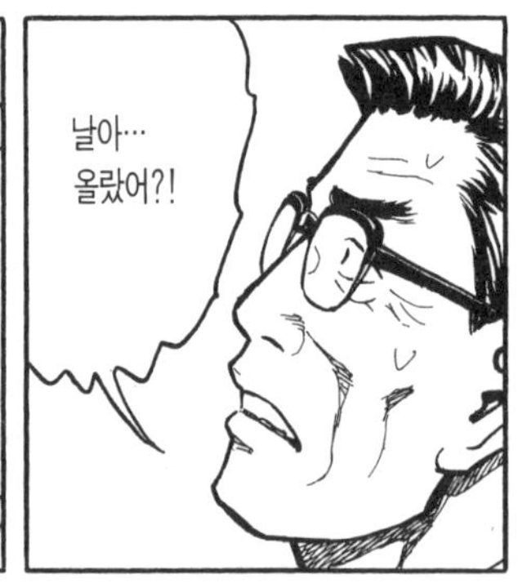

날아…
올랐어?!

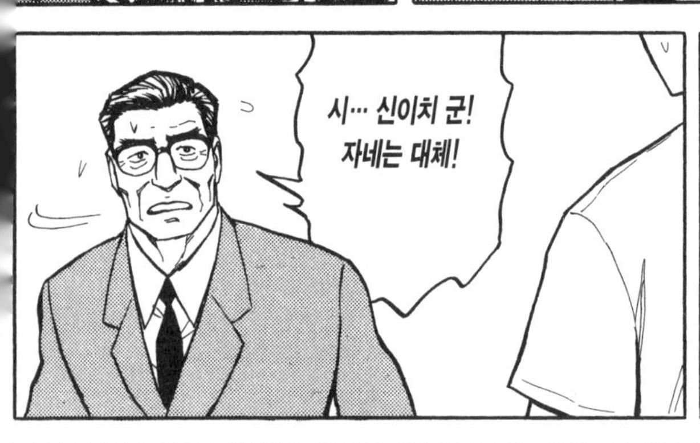

시… 신이치 군!
자네는 대체!

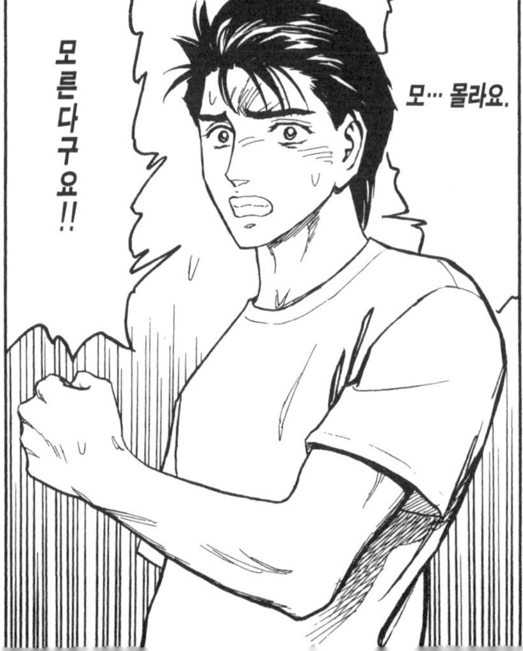

모… 몰라요.
모른다구요!!

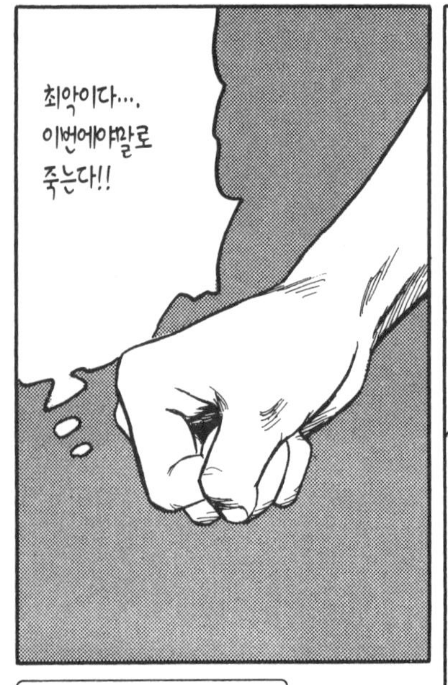

최악이다….
이번에야말로
죽는다!!

제56화 —끝—

제57화 영 웅

…사망자 수는 53명.
그 중 대부분이 아마키시 중령이 지휘한 부대다.
즉 그놈의 짓이야!
그 단 한 마리의 괴물 때문에 전황이 완전히 뒤집혀 버렸어!

거기 서!

아직도 뭔가를 숨기고 있는 게 아닌가?
정말 몰랐었나?

53명이나 죽지 않고도 끝났을 일 아닌가…?
혹시나…

몰라요!
정말 그 한 마리가
그만한 힘이
있었을 줄은….

머리야!
머리다!

사람 머리가
떨어졌다!

신이치….

번쩍

헉헉헉
헉헉헉.

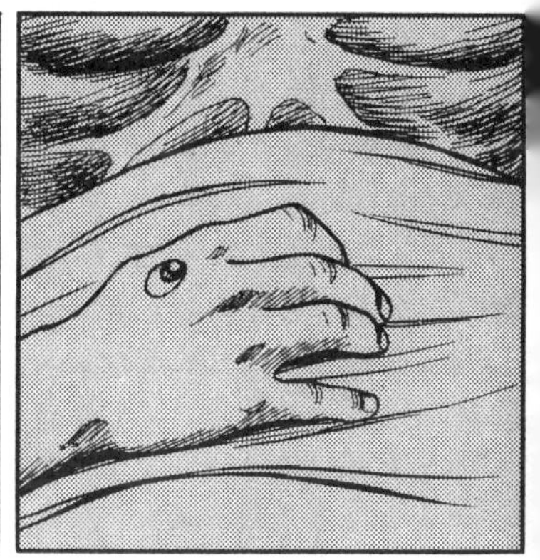

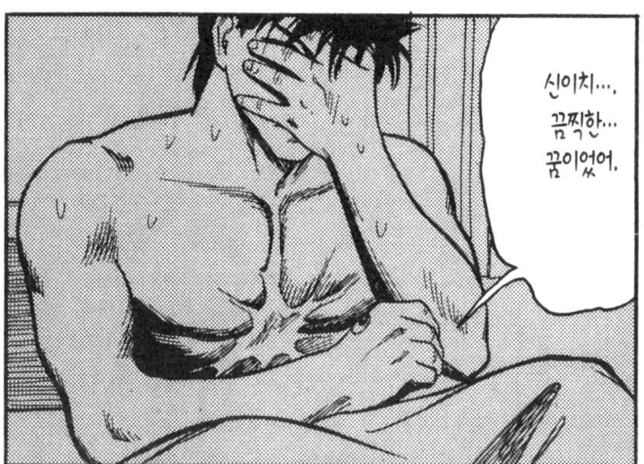
신이치…, 끔찍한… 꿈이었어.

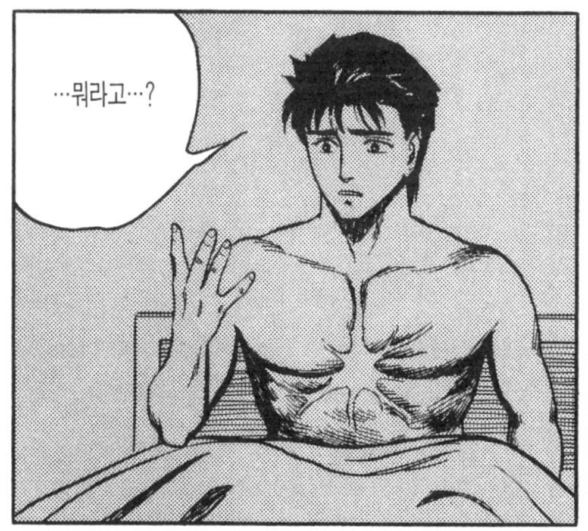
…뭐라고…?

이건 벌어진
판이다.

그놈이…
올까…?

죽여야 해.
…그리고 나는
앞으로 나아간다.

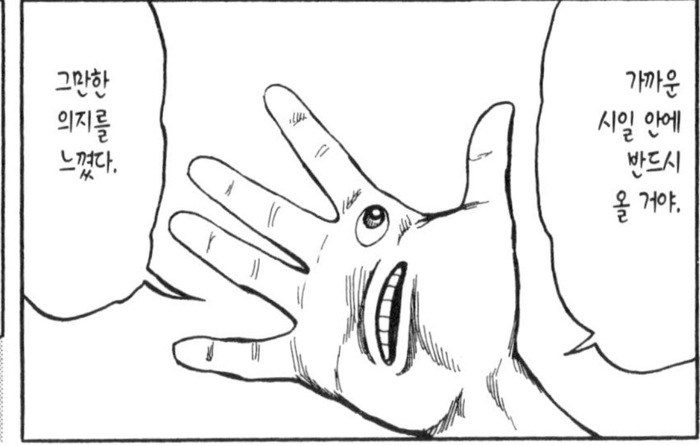
그만한
의지를
느꼈다.
가까운
시일 안에
반드시
올 거야.

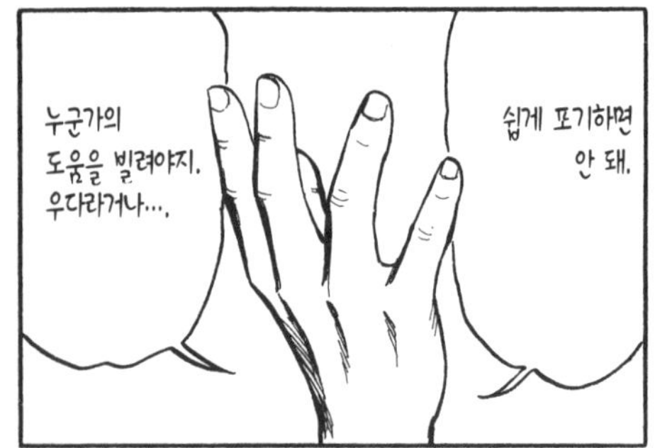
누군가의
도움을 빌려야지.
우다라거나….
쉽게 포기하면
안 돼.

그럼 우리는
죽는구나….

안 돼!!
이런 일에까지
말려들게는 못해!

어떻게!
…설령
그런다 해도
또 모두
죽어나갈 텐데.
우리가
죽이는 꼴이
된다구!!

그럼 인간들은?
다시 한 번 「고토」와
군대를 대치시켜서….

후—
후후후후.
오른쪽아….

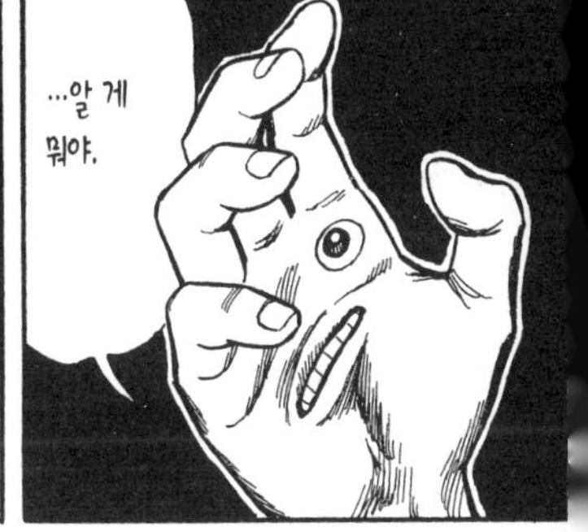
…알 게
뭐야.

아버지…
이제 곧
이별일지도
몰라요….

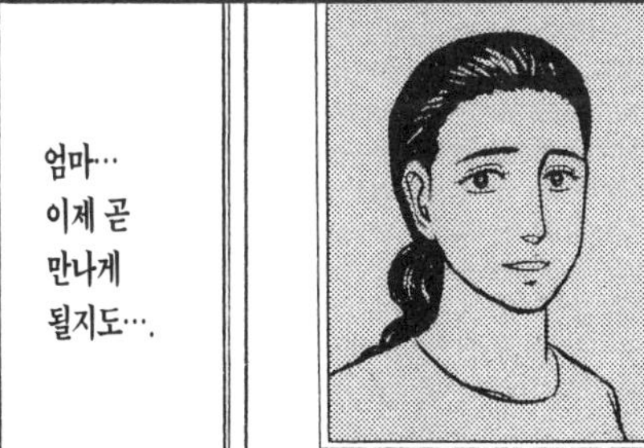
엄마…
이제 곧
만나게
될지도….

너는 정말…
곧 죽어도
오른쪽이구나….

그래,
어디 멀리로
도망가면 어떨까?
「고토」도 온 나라를
뒤지고 다니지는
않을 거야.
그치? 오른쪽아….

아…
학교 가는 걸
깜빡했네.

아하하하!
학교라….

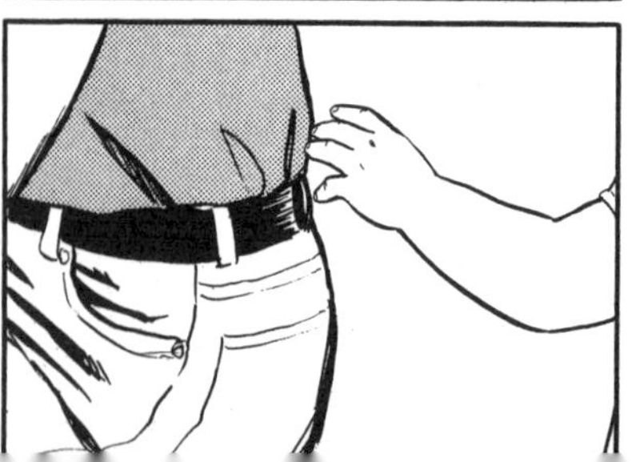

파악

턱
턱

헉헉헉!

…….

자…
장난치면 안 돼!
어서 가자!

내가 왜
이러지….

그놈이
다가오면
오른쪽이가
알아챌
텐데….
그치,
오른쪽아?

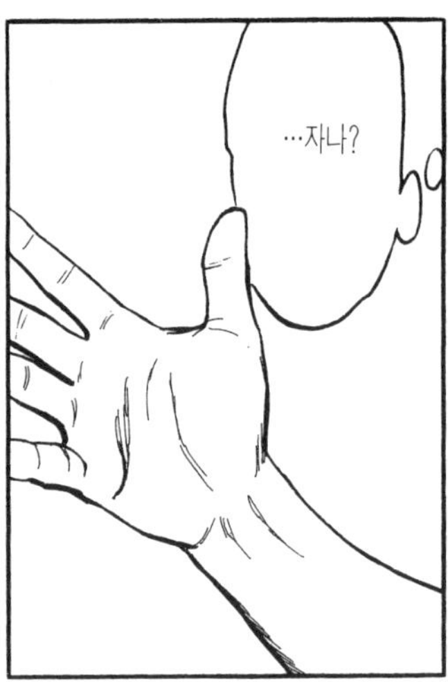
…자나?

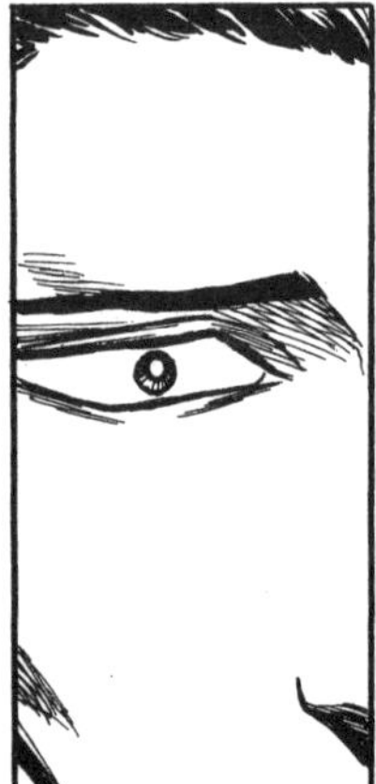

지금 그놈이
오면…!!

툭

야!
흑.

그냥
가시려구?

죄, 죄송
합니다…!

…엎드려서 빌어.

히히. 완전히 쫄았구만.

쳇… 이거 쪼다 아냐?
얼라리?

죄송합니다! 잘못했어요!

으아아악!!

퍽

빠억

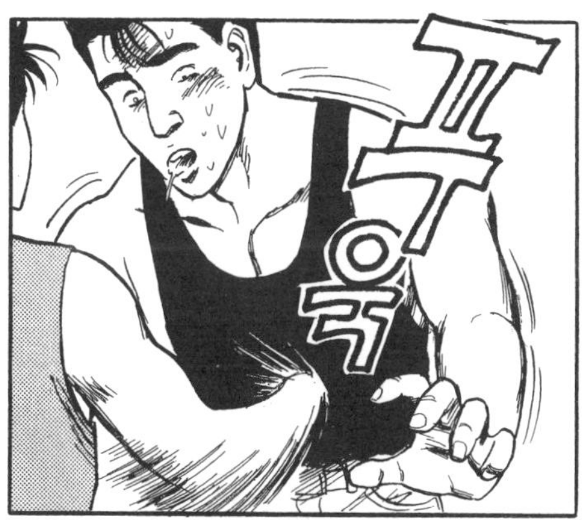
푸욱

퍼억

빠악

사과했는데…
사과했는데….

잘못했다고
했잖아!!
사과했잖아!!
미안하댔잖아!!

호이익!

!

신이치….
아… 안녕….

하하하! 꾀병부리고 결석했구나?
약았다, 너ㅡ.

그, 그래. 약았어….
놈은….

인간 쓰레기야….

왜 그러니? 이상하다.

53명 사망

저기….

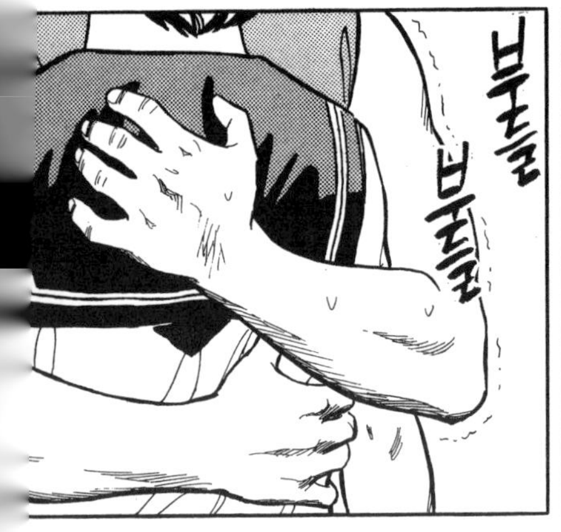
부들
부들

부들
부들

득

탁
악
아프다구!!

아… 아파,
이거 놔줘!!

헉헉 헉헉!

뭐, 뭐지?!
치한?!
치한인가?!

타앗

신이치….
이봐요! 경찰 불러, 경찰!

헉헉.
후….

후ㅡ.

후후…
후후후후….

뭐야….
깨 있었니,
오른쪽아?

어딘가 멀리라….
조금만 있으면
졸업인데.
졸업여행….
푸훗.

멀리 도망가는
아이디어…
괜찮을 것 같다.
신이치.

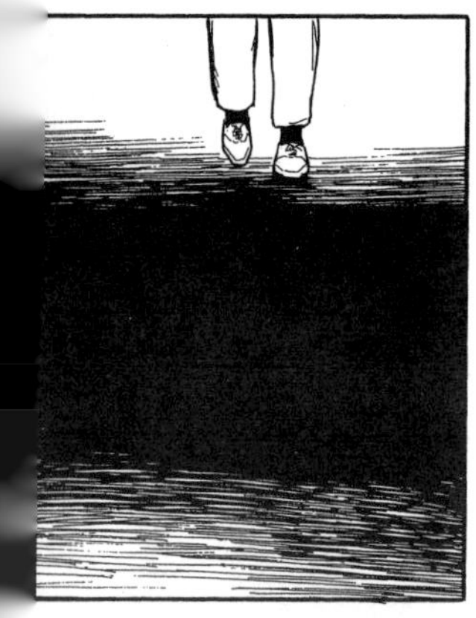

사람이
다가오는데.
오감이
둔해진 것
아냐?

왜 그래?

…….

안녕.

어떻게…
내가 여기
있는 줄….

신이치는
공원이나
광장 같은 델
좋아하잖아….
나도 좋아해.

…….

아까는 미안했어….
놀래킬 생각은
아니었는데.
너란 앤 가끔
황당하다니까.

…….

여기 좀 춥지 않니?
우리집에 가자.

얘기도 하고.
…마침 오늘 아무도 없어.

후… 그럼 호의를 받아들여….

생명의 위협이 느껴지니 본성이 나온다…. 나도 결국 한심한 놈이었어.

머릿속에는
「죽기 싫다」는
생각뿐이다.

살고 싶다….

53명사망

살아 있고
싶다….

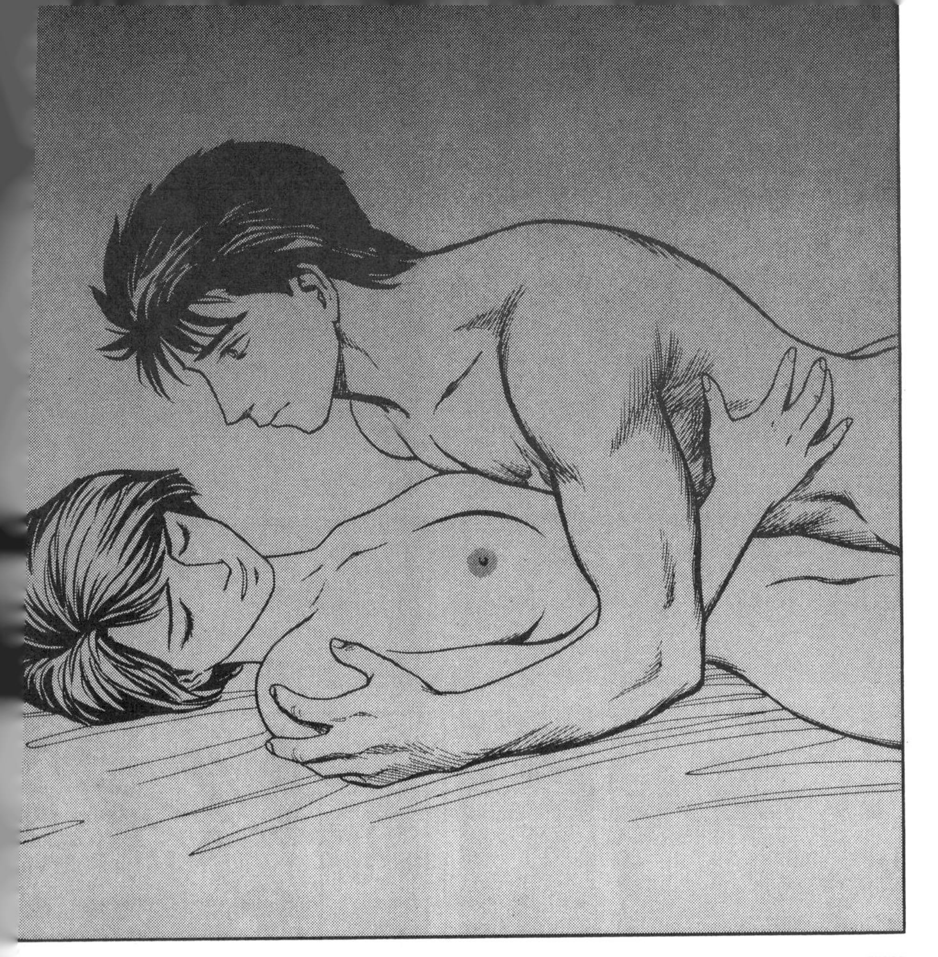

사토미….

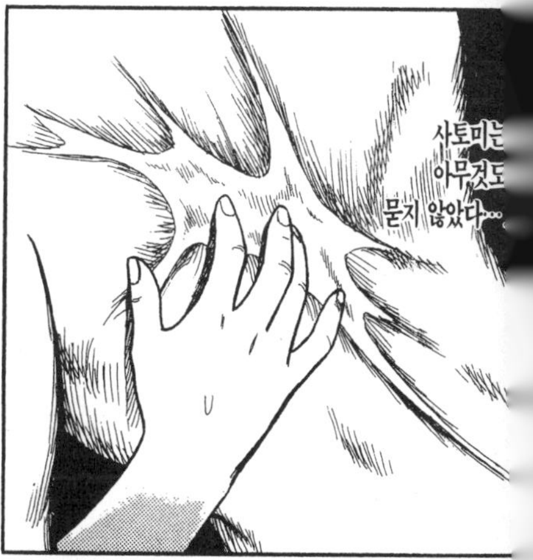
사토미는
아무것도
묻지 않았다….

나는 오른쪽이가
냉정하다느니
뭐니 했지만.

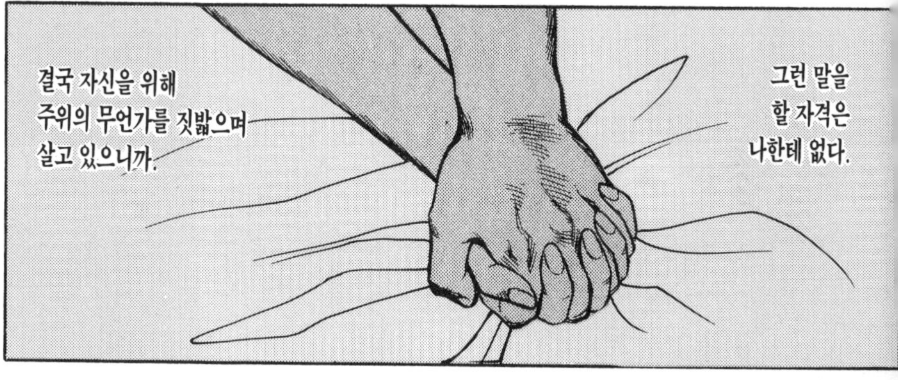
그런 말을
할 자격은
나한테 없다.
결국 자신을 위해
주위의 무언가를 짓밟으며
살고 있으니까.

신이치….

근사해,
신이치….

우리 참 많은 것을
봐 왔지…?
그러니까…
어지간한 일에는
지지 않아….
질 리가 없어.

…사토미,
네가 좋아….
사랑해.

신이치.

푸훗
킥킥킥….

…….
이제야
그런 말을
하네….

살고 싶다…!
어떻게
해서든!!

장 기분 좋을 때
해해서 미안한데…
이치.

집까지 갈틈이 없어.
당장 도망쳐!

설마.

…….

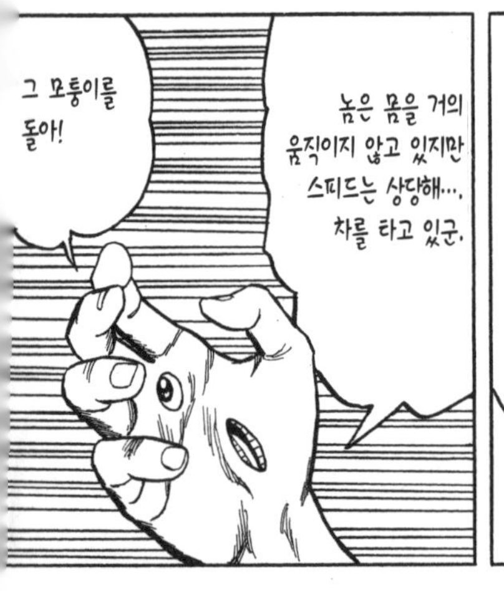
놈은 몸을 거의 움직이지 않고 있지만 스피드는 상당해…. 차를 타고 있군.
그 모퉁이를 돌아!

정말 「고토」야? 틀림없어!?
시청 사건때부터 식별할 수 있게 됐어. 이 강력한 파장은 다른 놈들과 달라! 이대로 집으로 가면 네 아버지까지 잡아먹힌다.

편의점
주차장

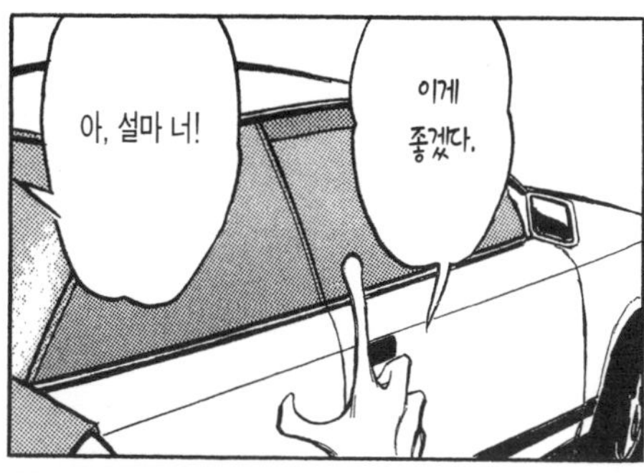
이게 좋겠다.
아, 설마 너!

그래, 훔칠 거야.
하지만 넌….

그런
따질 때
아니

…하긴 이쪽은 목숨이 걸렸으니….
철컥
그렇다니까!

아… 하지만
난 면허가
없어
내가 운전한다.

안전벨트를 단단히 매. 진짜로….

부르르릉
앗! 내 차!

부우우우

오른쪽이, 너… 어느새 운전까지….
한나절만에 일본어를 마스터한 몸이야.

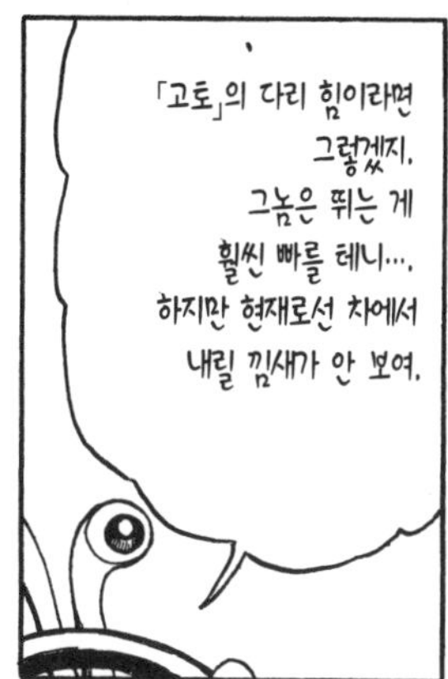
「고토」의 다리 힘이라면 그렇겠지. 그놈은 뛰는 게 훨씬 빠를 테니…. 하지만 현재로선 차에서 내릴 낌새가 안 보여.

하지만 이런 속도로는 따라잡히겠는걸.

…기분이 묘하네.

아아, 그거….

왜일까?

아무리 그놈이라도 그냥 쫓아와서 우리를 차째로 토막낼 수는 없는 노릇이고…. 지난번에 만났을 때 일격에 혼나기도 했을 테니까.

…….

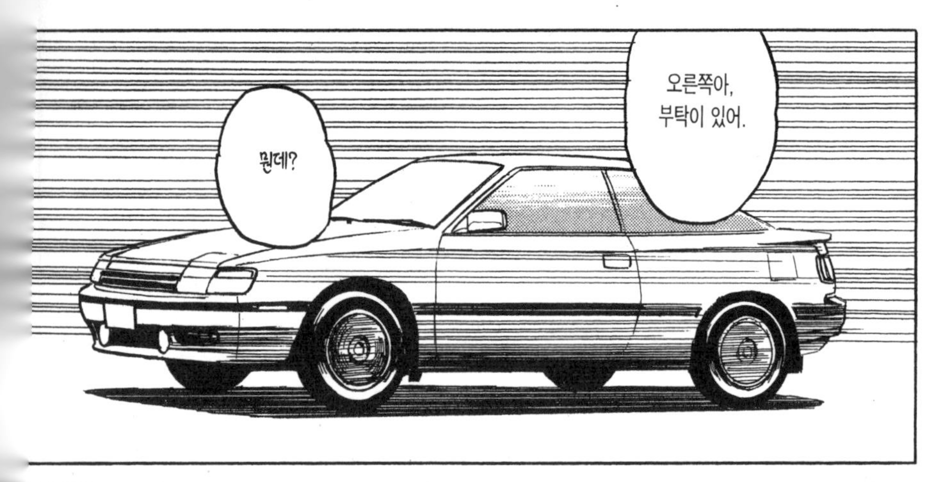
오른쪽아,
부탁이 있어.
뭔데?

시내에서 싸우면
애궂은 사람만
죽을 뿐이야.
저놈에겐 「살아 있는 벽」도
안 통할 테니….

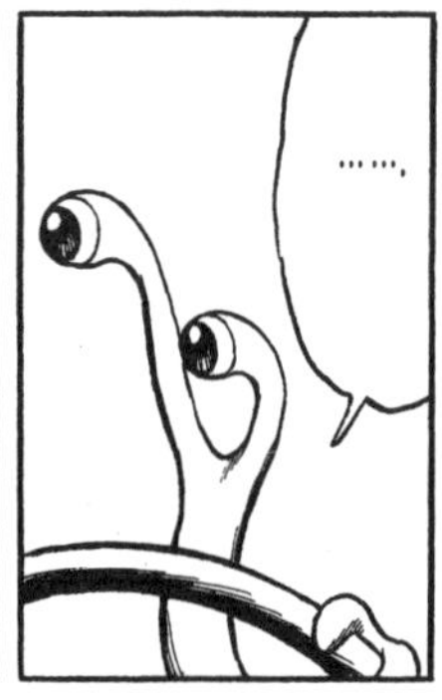
…….

사람이 없는…
가급적 아무도
없는 곳으로 가줘.

…부탁이야.

…알았어.
나도 방금
이판사판으로 생각해낸
아이디어가 있는데
사람이 없는 편이
낫겠다.
오른쪽아….

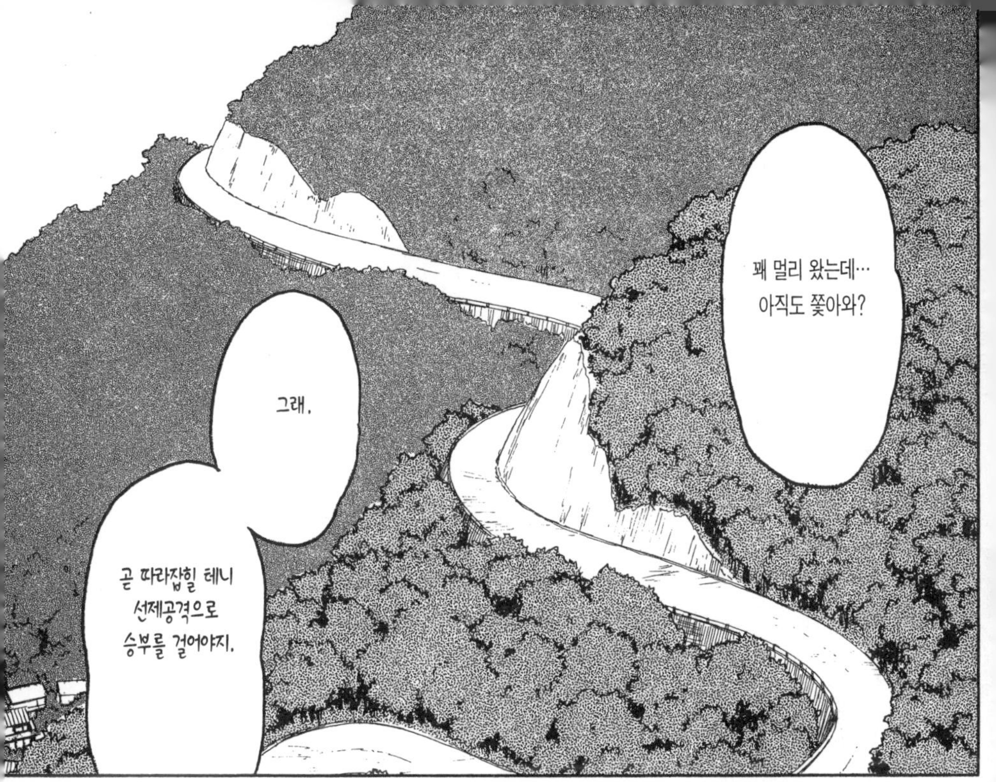
꽤 멀리 왔는데…
아직도 쫓아와?
그래.
곧 따라잡힐 테니
선제공격으로
승부를 걸어야지.

멀어….

…틀렸어.

경사가
모자라.

나 참…
무슨 생각을
하는 건지.

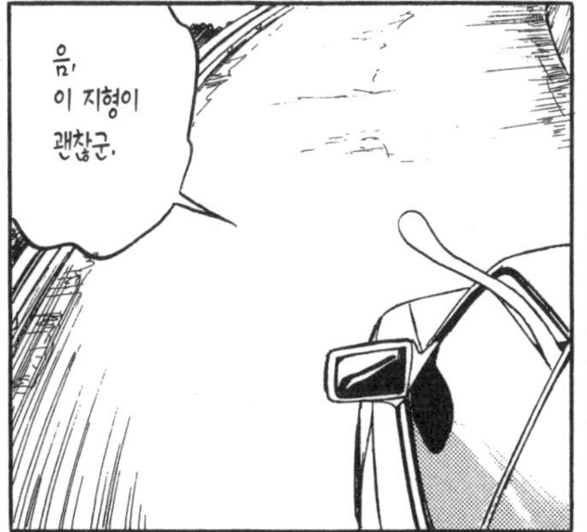
음,
이 지형이
괜찮군.

기 이이
끽

안전벨트를 풀어.

뭔가…
끔찍한 생각을
하는 거 아냐?

끔직하다니,
무슨 소리?
잘되면
만사 해결인데.

실패하면
그만이고.

바아아아앙

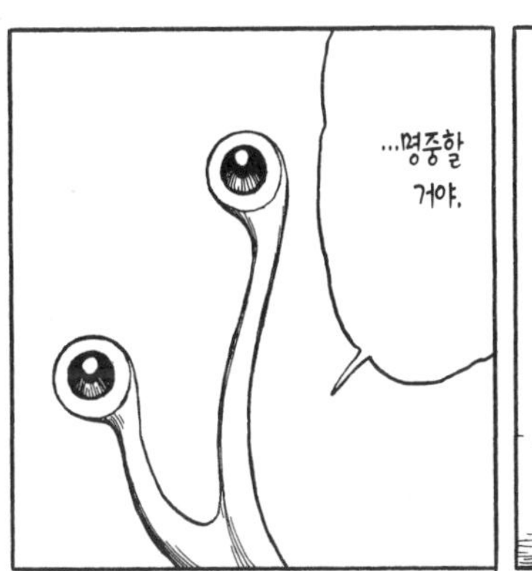
…명중할 거야.

…….

제 8 권에 계속

독자의 질문에

작가가 대답했다

월간 **애프터눈**

독자페이지에서 ……………………………… Vol. 14

「〈기생수〉에 등장하는 인물들은 어디선가 본 듯한 사람들이 많아 더 현실감이 있고,
'이 녀석은 또 뭘 하는 거지?' 하며 두근두근한다. 그리고 가짜 초능력자의 한 사람이 나와 비슷했다.」
(군마 현, 도도리아, 19세, 학생)

**「우라카미라는 인물을 등장시킨 후에 알았는데, 극악한 악당과 성인군자(?)처럼
극단적인 인물을 그리는 것은 상당히 어렵습니다. 아마 현실감이 없기 때문이겠죠.
개성적인 등장인물만 만들어 놓으면 자기들 마음대로 행동한다는 말을 흔히 듣는데,
〈현실감 있는 개성〉을 만들어내는 것도 참 어렵죠.」 (이와아키 히토시)**

애프터눈 '93년 12월호에서

「인간은 역시 인간 이외의 존재를 인정하지 못하는 걸까요?」 (효고 현, 요우)

**「특별히 의도적으로 인간을 나쁘게 그릴 생각은 없지만,
기생생물보다 인간이 더욱 추악하다고 느끼는 사람이 많은 듯합니다.
이번 회에 대해 말하자면, 일반시민은 이럴 것이고, 군대는 이럴 것이다, 하고 되도록
자연스럽게 움직이려 애쓰다 보니 그렇게 된 셈입니다.
하지만 나 자신은 '인간은 추악하고 형편없다'라는 생각은 별로 없어요.」 (이와아키 히토시)**

애프터눈 '94년 4월호에서

월간 **애프터눈**

독자페이지에서 ………… Vol. **15**

기생수 7

「고토가 히로카와에게 '당신이라면 포위망을 뚫는 것쯤은 간단하겠지?' 하고 말했는데, 과연 히로카와에게는 어느 정도 힘이 있는지 기대됩니다.」 (군마 현, 수수께끼를 풀어라, 16세, 학생)

「〈히로카와〉가 결국 포위망 속에서 어이없이 죽어 버려서 실망한 사람도 있을지 모릅니다. 그러나 히로카와에게 아무 힘도 없었느냐고 묻는다면, 꼭 그렇지도 않습니다. 아니, 당당하게 정의를 주장하는 만큼 〈우라카미〉보다 더 골치아픈 존재라고 할 수 있죠. 어쩌면 〈히로카와〉는 죽은 게 아니라, 이제 태어나려는 것인지도 모릅니다.」 (이와아키 히토시)

애프터눈 '94년 5월호에서

「고토에게도 타무라 레이코와는 다른 형태로 인간적인 감정이 자라나는 것을 느낀다.」 (카나가와 현, 카나 팬, 20세)

「요즘 고토의 행동은 뭔가 무의미하다고나 할까, 딱히 득도 되지 않는 행동을 많이 하고 있습니다. 오른쪽이나 타무라 레이코의 언동도 단순히 기계적인 합리주의만은 아니라는 것을 알 수 있죠. 그러나 역시 근본적으로 인간과는 융화할 수 없는 뭔가가 있습니다. 지구상에서 인간과 사이좋게 공존하는 생물이 얼마나 있는지 몰라도, 정체도 모르고 융화할 수도 없는 자들의 생명에 대해 인간은 어떻게 할 것인가…? …라는 것도 이 작품의 테마 중 하나입니다.」(이와아키 히토시)

애프터눈 '94년 7월호에서

독자의 질문에

작가가 대답했다

HITOSHI IWAAKI

7

寄生獣

寄生獸

7

스페셜-007

2003년 11월 25일 초판발행
2024년 2월 29일 24쇄발행

저 자: Hitoshi Iwaaki
번 역: 서현아
발 행 인: 정동훈
편 집 인: 여영아
편집책임: 이진경
편집담당: 백유진
발 행 처: (주)학산문화사

서울특별시 동작구 상도로 282 학산빌딩
편집부: 828-8973 FAX: 816-6471
영업부: 828-8986
1995년 7월 1일 등록 제3-632호
http://www.haksanpub.co.kr

개정판 ISBN 979-11-348-7203-8 07650
ISBN 979-11-348-1789-3(세트)